Romantiques ?...

Mais oui !
Nous avons toutes un côté romantique,
Pourquoi s'en cacher ?

Le pourpre d'un coucher de soleil,
les accents sensuels d'une mélodie,
le regard profond d'un homme,
nous en rêvons.

Dans les romans Harlequin,
vous trouverez,
outre des aventures passionnantes,
ce parfum de romantisme
qui donne tant de beauté à la vie...

Osez le romantisme avec Harlequin !

Sous le paysage des étoiles

Sarah Keene

HARLEQUIN

Cet ouvrage a été publié en langue anglaise sous le titre :

EARTHLY TREASURES

48, avenue Victor-Hugo, Paris XVIe - Tél. 45.00.65.00
ISBN 2-280-00532-8
ISSN 0182-3531

1.

Pelotonnée sur le siège moelleux de la BMW, Morgan observait du coin de l'œil le profil du conducteur. Sans aucun doute, Scott Townsend était de ceux qui font bouger les choses et les gens. C'était un vendeur né, qui possédait à fond l'art de convaincre. Depuis leur premier rendez-vous, trois mois seulement avaient passé ; durant cette courte période, il l'avait courtisée tambour battant, avec une maîtrise qui n'admettait pas d'objection ; avant même qu'elle comprenne pleinement ce qui lui arrivait, il l'avait persuadée de l'épouser.

Morgan McKenna Townsend... Elle toucha la bague de fiançailles qui alourdissait l'annulaire de sa main gauche. La veille au soir, ils avaient arrêté la date de leur mariage : le vingt et un juin.

Le vingt et un juin ! Dans deux mois et demi ! Un petit frisson glacé courut le long de son dos. Elle jeta à Scott un regard coupable : lui qui ne revenait jamais sur ses décisions, comment aurait-il admis qu'elle eût la tête pleine de questions ?

Allons, tenta-telle de se raisonner, *tu as vingt-cinq ans, tu as toujours désiré un foyer et une famille. Et Scott...*

— A quoi penses-tu? demanda l'intéressé en lui prenant la main.

— A toi, répondit-elle sans s'émouvoir.

— Ah! bon, tu me rassures!

Il lui décerna le sourire dévastateur qui l'avait aidé à devenir en un temps record l'un des agents les plus appréciés de chez *Weinstein, O'Connor et Associés*, l'agence de publicité où ils travaillaient tous les deux. Au bureau, il était couramment admis que Scott Townsend avait de l'étoffe — celle dont on fait les présidents, qui sait? Il ne manquait ni d'ambition ni de savoir-faire, et son physique de jeune homme bien élevé ne gâtait rien. Mâchoires carrées, cheveux blonds, il incarnait l'un des types préférés des Américains. La clientèle adorait avoir affaire à Scott. Il n'avait pas son pareil pour lui faire investir avec bonheur des milliers de dollars dans une nouvelle campagne de publicité.

Il était entré dans la vie de Morgan à un moment où elle était particulièrement déprimée. Son père était mort en septembre, après une maladie qui l'avait emporté en quelques semaines; elle avait perdu sa mère quelques années auparavant, et ce double deuil la laissait complètement désemparée. Elle se sentait perdue dans l'anonymat de cet immense Los Angeles où elle n'avait plus personne, ni famille, ni amis véritables, pour la soutenir, lui offrir un semblant de foyer. Il y avait bien une vieille tante qui habitait quelque part dans l'Est, et sa sœur Hallie qui avait choisi de vivre dans l'isolement des Sierras, mais à portée de main, personne. Personne à appeler tard le soir, personne à qui avouer sa solitude.

Scott avait changé tout cela. Ils s'étaient rencontrés à l'occasion d'un projet sur lequel ils travaillaient tous les deux. Il s'était aussitôt pris d'intérêt pour l'avenir professionnel de la jeune fille; ou peut-être sa blondeur élancée y était-elle pour quelque chose? Toujours est-il qu'il l'avait invitée à dîner le soir même dans un restaurant à la pointe de la mode, un établissement dont l'entrée ne portait aucun signe distinctif. Il fallait être connu pour y pénétrer. Cela changea agréablement Morgan des conserves qu'elle grignotait en solitaire depuis des mois.

Ils dînèrent dehors tous les jours de la semaine qui suivit. A ce régime, Morgan avait repris un peu de poids, et c'était heureux. Scott insista pour qu'elle vînt le rejoindre au club de gymnastique, le matin avant le travail. Au début, elle était si courbatue qu'elle pouvait à peine marcher; une semaine plus tard, elle commençait à se sentir en bien meilleure forme. La mélancolie avait disparu de son regard; sa démarche avait retrouvé son ancienne vivacité.

Scott ne s'en tint pas là. Bientôt, il la conseilla dans le choix de ses vêtements, la persuada de consacrer une partie de ses économies à l'achat d'une Fiat sport qui remplacerait avantageusement sa vieille voiture, la poussa à aménager son appartement d'une façon plus élégante. Le jour où elle trouva un ravissant tapis chinois dans son living-room, elle protesta un peu.

— C'est très beau, mais tout cela m'effraie, Scott. Je n'ai pas les moyens de ce train de vie.

— Allons, ne sois pas sotte. Tu es sur le point d'avoir une promotion à l'agence. Quand nous serons mariés, nos acquisitions respectives se complèteront harmonieusement. Je vois d'ici le tableau: tu viens vers moi, jeune mariée rougissante, et tu m'apportes tout cela en dot; moi, je t'attends devant l'autel, prêt à partager avec toi mon équipement stéréo, mon magnétoscope et mon ordinateur personnel aussi longtemps que nous vivrons ensemble.

Morgan avait pris le parti de rire.

— Est-ce une proposition de mariage, ou d'association?

— Les deux, avait-il répondu avec le plus grand sérieux.

La voix énergique de Scott la ramena au présent.

— Morgan! Dois-je prendre cette sortie-là?

— Non, c'est la prochaine.

Ils étaient en route pour le *Relais de la Sierra*, la petite auberge que tenait avec son mari la sœur de Morgan, très haut dans la montagne proche du Parc National du Sequoia. Hallie et Petter Brundin donnaient une fête le soir même pour célébrer leur dixième anniversaire de mariage; ils avaient invité le jeune couple à un week-end de randonnée à ski dans la montagne, qu'une tempête tardive avait recouverte de neige poudreuse.

— Venez, c'est fantastique! avait insisté Hallie au téléphone. Et puis, je voudrais connaître ton fiancé avant le mariage, tout de même!

Scott avait écarté l'invitation d'un geste péremptoire. Il avait fallu plusieurs jours d'argumentation et de cajoleries pour lui arracher son consentement.

— J'ai un travail monstrueux! clamait-il. Ce projet pour Bob Bicknell, y penses-tu? C'est un client important et Dieu sait que j'aimerais m'en faire un allié, plus tard!

— Oh! Scott, c'est tellement important pour moi que tu rencontres ma sœur et mon beau-frère! Ils représentent toute ma famille, et ils sont formidables. Et puis, nous n'avons jamais passé un week-end entier ensemble, toi et moi. Pour une fois, ne pouvons-nous oublier le travail, les affaires?

Scott était, entre autres choses, un véritable bourreau de travail. Etre éloigné de son bureau pendant plus de vingt-quatre heures le rendait nerveux. Il ne pouvait se résoudre à passer un samedi ou un dimanche sans se plonger dans quelques dossiers urgents.

La voiture quittait Fresno, ses orangeraies et ses petites fermes, pour commencer son ascension vers les collines. La lumière dorée de cette fin d'après-midi exaltait le paysage. Un peu ankylosée par les quatre heures de voiture, Morgan s'étira.

Elle allait donc se marier. Elle frissonna encore, comme si une goutte d'eau glacée avait coulé le long de son dos. Etait-elle vraiment prête pour le mariage? Aimait-elle Scott d'un amour qui durerait la vie entière ? Elle l'espérait de tout son cœur, sans en avoir la certitude. Perpétuellement décontenancée par l'assurance et le brio de cet homme, elle ne pouvait évaluer la profondeur de ses propres sentiments. Loin des soirées mondaines animées, elle comptait sur ce week-end pour l'y aider; dans la paix et le silence de la montagne, elle saurait peut-être enfin où elle en était.

Et puis, revoir Hallie... Hallie, sa droiture, sa drôlerie, son beau regard brun qui comprenait tout sans qu'il fût besoin de parler...

Hallie et Pete se tenaient sur le seuil de l'auberge.

— Mary Morgan ! s'exclama Hallie. J'ai cru que tu n'arriverais jamais !

Les deux sœurs s'élancèrent l'une vers l'autre, s'étreignirent en riant.

— La route est longue, s'excusa Morgan. Oh ! Hallie, comme c'est bon de te voir !

— Tu arrives juste à temps, le dîner sera servi dans une demi-heure. Pascal nous a promis une de ses spécialités, mais je n'en sais pas plus, il m'interdit l'entrée de la cuisine ! Bon, nous allons descendre tes bagages et...

Elle venait d'apercevoir Scott qui s'était mis en devoir de se présenter à Pete.

— Scott, dit Morgan, c'est ma sœur, Hallie...

Scott dédia à Hallie son sourire le plus charmeur, celui qu'il réservait aux clients importants.

— J'ai beaucoup entendu parler de vous, Hallie. Comme vous vous ressemblez, toutes les deux ! Vous êtes aussi jolies l'une que l'autre.

— Allons donc ! répliqua Hallie, l'œil malicieux. Vous êtes beau parleur, monsieur Townsend ! Cette petite-là...

Elle entoura de son bras les épaules de Morgan.

— Cette petite-là est devenue si élégante que j'ai peine à la reconnaître.

Elles se ressemblaient effectivement, tout en étant différentes. Elles étaient grandes toutes les deux, mais Hallie dépassait sa sœur de quelques centimètres. Longiligne, voire anguleuse, Hallie affichait une allure dégingandée que n'avait pas Morgan, plus douce, plus réservée aussi. Elles possédaient toutes deux les mêmes yeux bruns remarquables, immenses dans un visage ovale. Le regard était pourtant différent : celui de Hallie direct, inquisiteur, provocateur même, celui de Morgan rêveur, timide, presque furtif.

Avec ses cheveux blond cendré coupés à la garçonne, son visage bronzé dénué de tout maquillage, Hallie semblait en parfaite harmonie avec la vie au grand air. Elle affectionnait les jeans, les chemises écossaises confortables, les vastes chandails, et ne se souciait visiblement pas trop de son apparence physique.

Celle de Morgan, au contraire, révélait ses habitudes de vie citadine, sous la tutelle de Scott. Ses cheveux dorés qui frôlaient ses épaules, la coupe et la matière des vêtements qu'elle portait avec grâce — un pull en angora soyeux, un pantalon à pinces de fin lainage rentré dans des bottes de cuir —, en disaient long à ce sujet.

Leurs caractères aussi étaient dissemblables. Autant Hallie était simple et sans détours, autant Morgan était complexe et secrète.

— Nous sommes heureux de vous recevoir, Scott ! s'écria Hallie avec chaleur. Venez vous réchauffer, vous devez être gelés !

Un appartement avait été préparé à leur intention. Il comprenait un salon confortable avec un divan et des fauteuils entourant une table basse couverte de revues, une chambre, et une salle de bains.

Morgan apprécia la discrétion intelligente de Hallie qui n'avait posé aucune question sur leur arrangement pour la nuit ; simplement, leur logement permettait toutes les possibilités.

A la vérité, Scott et elle n'avaient pas encore dormi ensemble, et ce sujet la laissait perplexe. Elle était soulagée qu'il n'insistât pas pour qu'elle se donne à lui, comme l'avaient fait tous les garçons qu'elle avait fréquentés plus ou moins brièvement. Il manifestait une certaine réserve dont elle lui était reconnaissante ; il aimait l'embrasser, bien sûr, la tenir dans ses bras, et surtout la contempler, comme si elle était sa création. Il se plaisait à être son guide en tout, et semblait vouloir attendre le mariage pour l'initier à des plaisirs plus intimes. Il ne paraissait aucunement souffrir de cette continence ; il devait sublimer son énergie sexuelle dans le travail.

Parfois cependant, Morgan se demandait s'il la voulait vraiment. Etait-ce de son fait à elle ? Elle aurait aimé que, de temps à autre, il se laisse aller à quelque fantaisie, elle aurait voulu voir une lueur de passion dans ses yeux. Ce week-end peut-être, la beauté et la paix du lieu aidant... ?

Le dîner fut servi dans la grande salle à manger aux poutres apparentes de l'auberge, devant un bon feu de bûches. La maison était renommée pour son atmosphère familiale ; la plupart des clients qui y dînaient ce soir-là savaient qu'on fêtait l'anniversaire de mariage de leurs hôtes et venaient jusqu'à la table des propriétaires pour présenter leurs vœux. Le repas était exquis. Pascal, le jeune cuisinier français engagé cet hiver, leur proposa du canard à l'orange accompagné du plus extraordinaire assortiment de petits légumes qu'on pût rêver. Même Scott, qui avait le palais si exigeant, paraissait satisfait.

A la table des Brundin, six couverts avaient été dressés. Le cinquième était destiné à Abby Goldman, qui louait la maisonnette minuscule située sur les terres de l'auberge. Elle s'était présentée comme écrivain. Quant à la dernière place, à la gauche de Morgan, elle restait mystérieusement vide. Qui pouvait-être cet invité retardataire ?

— Qu'est-ce que vous écrivez? demanda Morgan à la sympathique personne dont une chaise vide la séparait.

— Des scénarios pour la télévision, lui répondit Abby.

J'ai travaillé longtemps sur un feuilleton interminable. Maintenant, je me spécialise dans les émissions policières.

Elle cita quelques séries très populaires.

— Je suis la locataire de Hallie et de Pete depuis neuf mois. Ici, c'est le seul endroit où je puisse vraiment travailler. Il y a trop de distractions à Los Angeles.

— Oh, oui ! Je sais ce que vous voulez dire.

— Alors, je ne séjourne en ville que pour les conférences de travail. A part cela, je reste ici à écrire tranquillement. C'est le paradis.

Morgan était fascinée.

— Est-ce que vous… ?

Elle n'eut pas le temps de formuler sa question.

— Ben ! cria Hallie. Tu es venu ! Hourra !

Une main gantée agrippa le dossier de la chaise vide, à côté de Morgan. Elle se retourna et rencontra les yeux les plus noirs qu'elle eût jamais vus.

L'homme arrivait tout droit de la neige ; ses cheveux noirs en étaient poudrés, ainsi que les épaules de sa canadienne. Mince, élégant, il avait une physionomie tout à fait inhabituelle. Le modelé de ses pommettes incitait à croire qu'il avait du sang indien. Mais il pouvait aussi bien être français, ou italien, ou les trois à la fois.

A le bien considérer, il était de taille moyenne ; malgré sa vigueur évidente, il possédait une sorte de grâce, une aisance à se mouvoir qui lui donnait une présence physique étonnante. Morgan en fut perturbée.

— Pardon d'être en retard, dit-il à l'intention de ses hôtes. Un petit ennui avec Lily. C'est arrangé maintenant.

— Ce n'est pas grave, assura Hallie. Nous sommes si contents que tu sois là ! Voyons que je te présente. Abby, tu ne connais qu'elle. Voici Scott Townsend. Scott, je vous présente Ben Gerard.

Les deux hommes échangèrent des salutations.

— Et voici ma sœur, poursuivit Hallie, Mary Morgan McKenna.

Morgan sourcilla à l'énoncé complet de son nom. Elle avait mis des années à persuader son entourage de cesser de l'appeler Mary Morgan. Avec Hallie, cette vieille habitude persistait.

Ben enleva son gant pour lui serrer la main. La sienne était chaude, et son contact procura à Morgan un effet curieux : on eût dit qu'un courant électrique lui avait traversé le bras. L'espace d'un instant, tout s'était arrêté.

Il lui dédia un demi-sourire.

— Bonjour, Mary. Je suis heureux de vous connaître.

— Morgan, s'il vous plaît, s'entendit-elle répondre. Je préfère Morgan.

Il rit, lâcha sa main et s'assit. Autour d'eux, les conversations avaient repris.

— Morgan, si vous voulez. Mais dites-moi...

Son regard ironique effleura le ravissant pull d'angora blanc, les fines boucles d'oreilles en or, la chevelure lisse et soignée.

— Le prénom Mary serait-il passé de mode ?

— Non, pas du tout.

Elle se sentit rougir.

— Morgan est le nom de jeune fille de ma mère. Comme elle n'avait pas de frère pour le perpétuer, j'ai voulu le porter, énonça-t-elle sur la défensive.

— Tiens, tiens !

Il y avait tant d'insolence dans sa voix qu'elle eut envie de le gifler. Elle leva impulsivement la main et se surprit à balayer la neige restée accrochée à la mèche brune qui barrait le front de Ben Gerard.

Pour le coup, ce fut à lui d'être étonné. Il avait tressailli. Il se reprit, passa en riant sa main dans ses cheveux humides.

— La neige a recommencé à tomber. Demain, nous aurons une belle randonnée à skis.

— Je l'espère bien ! s'écria Morgan, embarrassée de ce geste qu'elle ne s'expliquait pas. Nous attendons cela depuis assez longtemps !

— Nous?

— Scott et moi.

— C'est votre ami?

— Mon fiancé.

— Ah!

Son sourire devint franchement railleur.

— Mes félicitations! Maintenant que vous le dites, je m'aperçois que...

Il regarda ostensiblement la main gauche de Morgan.

— Evidemment, avec une pierre de cette taille... Je vous souhaite d'être très heureuse, Miss.

Morgan prit son air le plus digne.

— Je le serai.

A ce moment, un flot de musique s'éleva. Quelqu'un s'était mis au piano tandis que Pascal faisait le tour de la table en brandissant un superbe gâteau. Tous les dîneurs des tables voisines se levèrent et entonnèrent d'une seule voix:

— Heureux anniversaire! Heureux anniversaire!

Emue, ravie, Hallie battit des mains, puis se pencha vers son mari pour lui donner un baiser sonore.

On posa le gâteau au milieu de la table, on l'admira. Alors Pete se leva et s'écria:

— Champagne pour tout le monde! Venez, mes amis, venez nous aider à manger ce gâteau!

Tandis que tout le monde se régalait, Morgan vit Pascal se pencher vers Scott.

— Monsieur Townsend?

Il lui glissa un papier.

Scott fronça les sourcils et se leva en s'excusant.

— Que se passe-t-il? demanda Morgan en posant la main sur sa manche.

— Je ne sais pas. Un appel de mon directeur. Je vais le rappeler, je reviens tout de suite.

Il lui tapota l'épaule et sortit.

Les minutes passèrent. Morgan termina sa tranche de

gâteau, bavarda longuement avec son beau-frère. Il insista pour lui verser une deuxième coupe de champagne, et bien qu'elle n'en prît qu'une habituellement, elle se laissa volontiers convaincre. Elle se sentait si bien! Et c'était une occasion exceptionnelle, n'est-ce pas? Au fait, où était Scott? Pourquoi tardait-il tellement? Elle avait envie qu'il soit là, qu'il partage cette fête de famille, qu'il s'amuse avec elle!

C'est alors que son regard croisa celui de Ben Gerard qui était en grande conversation avec Abby. A nouveau, il lui procura cette curieuse sensation de chaleur sous la peau. Cet homme avait sur elle un étrange pouvoir, se dit-elle. L'idée l'irrita. Elle se pencha vers Hallie.

— Excuse-moi un instant, Hallie, je vais voir ce que devient Scott.

— Reviens vite, mon petit! La soirée ne fait que commencer!

Dans la chambre, Scott était occupé à remettre dans la valise les vêtements qu'elle-même en avait sortis quelques heures auparavant.

— Scott! que fais-tu?

— Ah! c'est toi, chérie. J'en suis content. Je voulais t'accorder encore un peu de temps pour profiter de cette soirée, mais puisque tu es là, nous allons partir tout de suite.

— Partir? Pour où?

— Nous rentrons.

Il ferma la valise, boucla la lanière.

— En nous dépêchant un peu, nous arriverons vers une heure.

Morgan se frotta le front. Le champagne avait modifié sa perception des choses; était-ce une plaisanterie de mauvais goût de la part de Scott?

— Je ne comprends pas; de quoi parles-tu?

— Steve Peretz est à l'hôpital avec un disque démis. Bon, je crois que je n'ai rien oublié. Veux-tu jeter un coup d'œil dans la salle de bains pour vérifier?

— Scott! Je... une minute, je te prie. Je suis navrée pour

Steve Peretz, mais qu'est-ce que son disque démis a à voir avec nous ?

— Je te l'expliquerai dans la voiture.

— Non.

D'un geste un peu incertain, elle s'assit sur le bord du divan.

— Je ne bougerai pas d'ici avant que tu ne m'aies dit ce qui se passe.

Il lui jeta un regard d'impatience.

— Le patron vient de m'appeler pour me dire que Steve n'était pas en état de travailler pour le moment et me demander si je voulais m'occuper du dossier Highgate à sa place.

— Oh ! Scott... N'y a-t-il personne qui puisse le remplacer ?

— Bien sûr que si ! Des tas de gens peuvent le remplacer !

Ses doigts tambourinaient nerveusement la jambe de son pantalon.

— Des tas de gens, oui ! Je suis content qu'il me l'ait demandé en premier, c'est tout !

— Et... que devient notre week-end ?

— Je n'ai pas une minute à perdre si je veux me mettre au courant avant lundi. Sois gentille, mon cœur, ne me complique pas la tâche.

— Scott, tu es déjà surmené, tu travailles soixante heures par semaine, n'est-ce pas assez ? Ne peux-tu t'accorder une pause, pour une fois ?

— Ce rythme me convient.

— Je ne te vois qu'à la hâte, tu n'as jamais le temps ! Nous allons nous marier bientôt, et... Scott, quelquefois j'ai peur, parce que je ne suis pas sûre de te connaître assez bien ! C'est pourquoi j'attachais tant d'importance à ce week-end. Je voulais que nous prenions le temps de vivre un moment paisible ensemble. Je voulais que tu connaisses ma famille.

Elle sentait sa gorge se nouer.

— Eh bien, nous sommes venus ! J'ai fait la connaissance de tout le monde. Tu as vu ta sœur. Nous n'avons pas perdu notre temps. Je dirais même que nous avons rempli notre programme en un minimum de temps.

— Nous sommes à peine restés trois heures, Scott !

— On n'y peut rien, je le crains. J'ai déjà donné une réponse positive au directeur.

— Comment ? Tu as dit oui, comme cela, sans me consulter ? Tu ne me demandes jamais mon avis ! En l'occurence, tu n'es pas pressé par la nécessité, tu n'as pas besoin de ce travail particulier...

— C'est une occasion que je ne veux pas laisser passer.

Son regard bleu était froid comme glace.

— Réellement, Morgan, j'attendais un peu plus de compréhension de ta part.

Il enfila son manteau, prit les valises.

— Je vais les porter dans la voiture. Tu devrais dire au revoir à ta sœur et me rejoindre au parking.

Quelques minutes plus tard, elle le rejoignit en effet. Assis au volant, il faisait tourner le moteur. Elle tapa à la vitre. Il la baissa.

— Qu'est-ce que tu fais ? s'impatienta-t-il. Ta portière est ouverte. Monte.

— Je ne viens pas. Rends-moi ma valise.

— Morgan ! Qu'est-ce qui te prend ? Je ne t'ai jamais vue agir de la sorte.

Elle eut un rire singulier.

— C'est fort possible, en effet.

— Je peux te dire que cela ne me plaît pas beaucoup.

— C'est que tu n'admets pas que j'agisse autrement que tu en as décidé ; jusqu'à présent, le cas ne s'est jamais présenté, parce que je me suis toujours conformée à ta volonté.

— Puis-je savoir comment tu comptes revenir ?

— Je n'en ai aucune idée ! C'est un problème qu'il me faudra résoudre, mais pas ce soir. En tout cas, je ne t'accompagne pas. J'ai besoin de ce week-end, Scott, j'en ai absolument besoin. Je n'ai pas vu ma sœur depuis les funérailles... Je reste. Je rentrerai par mes propres moyens.

Il la contempla d'un air de profonde désapprobation.

— Comme tu voudras, jeta-t-il avec dédain.

Il remonta sa vitre.

Le temps qu'elle prenne son bagage et referme le coffre, il démarrait déjà. Elle le regarda s'éloigner, tremblante de froid et de colère. Elle se laissa alors aller à un geste instinctif, puéril : ramassant une poignée de neige, elle la tassa en une boule qu'elle lança de toutes ses forces dans la direction de la voiture qui s'en allait.

Il y eut un bruit sourd suivi d'une exclamation étouffée.

— Aïe ! Quel est le bougre de...

Morgan sursauta. Une silhouette sombre émergeait de la nuit. A la lueur laiteuse de la lune, elle reconnut Ben Gerard. La main devant sa bouche, il avait l'air furieux.

— Pardon, cria-t-elle, je ne l'ai pas fait exprès ! Je ne vous avais pas vu. Vous n'avez pas mal ?

Il s'immobilisa devant elle.

— Vous ! s'écria-t-il en enlevant sa main.

Elle le regarda, atterrée.

— Vous saignez ! Oh mon Dieu !

— Ma foi, je crois bien que je me suis fendu la lèvre. Contre les dents.

— Oh ! Monsieur Gerard, je suis navrée...

Soudain, toutes les émotions qu'elle venait de vivre la submergèrent, et elle fondit en larmes au milieu du parking, en enfouissant la tête dans ses mains.

— Hé là, heu... Miss ! Calmez-vous, ce n'est pas si grave ! Je survivrai, vous savez.

— Ce n'est pas... c'est simplement que... hoqueta Morgan entre deux sanglots.

— Et d'abord, que faites-vous ici sans manteau ? Vous allez prendre froid, petite citadine.

Il ôta sa canadienne et la posa sur les épaules tremblantes de Morgan. Le vêtement était chaud de sa propre chaleur, et il en émanait une senteur de cèdre. Elle cessa de pleurer, leva les yeux sur lui.

Il désigna la valise en riant.

— Que s'est-il passé, jeune fille ? Vous vous êtes disputée avec votre petit ami ?

— Non ! Oui ! Cela ne vous regarde pas !

Le souvenir de la scène qui avait eu lieu avec Scott ravivait sa fureur. Et celui-là qui se permettait de se moquer ! Elle lui tendit brusquement son manteau, empoigna sa valise et marcha vers l'auberge.

— Hé, attendez-moi ! cria Ben.

Il y avait de la consternation dans sa voix.

— Attendez-moi, je vais porter votre valise !

— Je n'ai pas besoin qu'on m'aide ! Je suis assez grande pour y arriver seule !

2.

— Je crains d'avoir agi à la légère ! confia Morgan à sa sœur alors qu'elles prenaient une tasse de thé. Hallie, comment vais-je rentrer à Los Angeles demain ? Il y a un car qui part de Fresno ?

Avec un tisonnier, Hallie remit l'une des bûches en place. Elle réfléchissait. Soudain, son visage s'éclaira.

— Abby ! Abby a rendez-vous tôt lundi matin aux studios *Universal*. Je suis sûre qu'elle sera ravie de te conduire où tu voudras.

— Fantastique ! A quel moment crois-tu qu'elle partira ?

— Demain. Elle passe la nuit chez des amis à Los Angeles. Elle t'emmènera certainement volontiers, car elle sera contente d'avoir de la compagnie.

— Ouf ! Tu m'enlèves un poids ! soupira Morgan en s'étirant sur le canapé.

En ce milieu de matinée, l'auberge était déserte : tous les clients étaient partis skier. Les deux jeunes femmes avaient donc pris possession de la salle de séjour pour causer tranquillement.

— Ah ! A présent, je vais pouvoir profiter pleinement de ce moment passé avec toi ! C'est si bon de te revoir, Hallie, tu ne peux pas savoir !

— Tu es toujours la bienvenue ici. J'aurais insisté pour que tu viennes plus tôt si je n'avais craint de te déranger dans tes occupations professionnelles. J'ai beaucoup pensé à toi, surtout depuis que papa est mort. Je me disais que moi j'avais Pete, et que toi tu étais seule. Cela me tourmentait. Et puis tu as rencontré Scott...

— Tu crois que je l'ai blessé en l'obligeant à rentrer seul ?

— Bah ! Je crois que la question devrait être posée autrement. C'est à Scott Townsend de se demander s'il est blessé.

Morgan considéra sa sœur avec surprise.

— Il ne t'a pas fait bonne impression, n'est-ce pas ?

— Oh ! si. De l'extérieur. Mais est-il aussi beau intérieurement que sa bonne mine le donne à croire ?

— Il a des tas de qualités, je t'assure. Tu l'as vu à son désavantage.

— Justement, je pense que c'est une très bonne façon de voir les gens — à leur désavantage. C'est alors qu'ils révèlent ce qu'ils sont.

Elle marqua une pause.

— Comment juges-tu ta conduite d'hier soir ? Sois sincère, Mary Morgan !

— Je ne sais pas trop. Je me sens un peu coupable, ce matin. J'avais sans doute bu trop de champagne. Et je n'avais probablement pas compris à quel point la carrière de Scott est importante pour lui.

— Je te le concède.

— Importante, essentielle, capitale ! Il ne travaille pas pour vivre ; il vit pour travailler. Moi, je ne vois pas les choses de cette façon. J'aime bien mon travail, mais pas au point de penser qu'il est le début et la fin de tout ! Ces derniers temps, j'ai même envisagé de changer d'orientation.

— Ah oui ?

— Oui. Mais c'est une autre histoire. A propos de Scott, tu sais, je dois reconnaître que j'ai envers lui une dette de reconnaissance. Il m'a aidée dans un moment extrêmement difficile. Il m'a obligée à sortir de moi-même, à retrouver tonus et dynamisme à une période où je n'avais qu'une idée : me couper du monde. Je ne sais pas ce que j'aurais fait sans lui.

Emue, sa sœur lui prit la main.

— Seulement, tu comprends, poursuivit Morgan, maintenant que nous avons fixé la date de notre mariage, je... je doute terriblement. Parfois je me demande si je ne me suis pas servie de Scott tout simplement pour remplir la place laissée vide par la disparition de papa. Et si ce qui m'avait plu en lui, c'était précisément son autoritarisme, le fait qu'il me traite comme une petite fille ? Avec Scott, je n'ai aucune décision à prendre, il me dicte tout ce que je dois faire : ce qu'il faut acheter, ce qu'il faut manger, ce qu'il faut être... C'est comme si j'étais son enfant, sa création ; c'est ce que je ressens parfois. Et depuis quelques semaines, je ne sais plus si je le souhaite.

— Tu n'es pas une enfant, dit Hallie avec douceur ; tu n'es la création de personne sinon la tienne. Tu es entièrement responsable de toi-même, et je suis persuadée que tout ira mieux pour toi lorsque tu revendiqueras cette responsabilité. Je sais qu'il peut être tentant en certaines occasions d'en remettre le soin à quelqu'un d'autre...

— C'est vrai. Tu as raison, naturellement. Oh ! Hallie, quelle voie dois-je suivre, d'après toi ?

— Deux sont possibles. Ou tu laisses les choses suivre leur cours avec ce garçon, ou tu romps. Mais en fin de compte, tu feras ce qui est le mieux pour toi.

— Tu crois ?

— J'en suis sûre.

Le visage de Morgan s'épanouit.

— En tout cas, je suis contente que l'une de nous deux en soit si sûre.

— Mary Morgan, laisse-moi te dire ceci : je sais quelles satisfactions peut apporter un mariage réussi, parce que j'ai été particulièrement gâtée sous ce rapport. Pourtant, je ne suis pas une moitié de personne simplement parce que je suis mariée à Pete. Je n'ai rien abdiqué de moi-même ; je suis une personne à part entière, comme il est une personne à part entière. Ensemble, cela fait deux personnes. Je suis convaincue que c'est la seule voie possible si l'on veut réussir son mariage.

— Je t'envie !

— Ton tour viendra, chérie.

Les yeux de Morgan pétillèrent de malice.

— Dis-moi, Pete et toi, vous n'êtes pas lassés d'être un couple parfait ? Une vie aussi sereine, ce doit être un peu ennuyeux, non ? Allez, avoue que de temps en temps, il ne te déplairait pas d'avoir quelques problèmes intéressants — comme les miens, par exemple ?

— Vois-tu, en ce qui concerne notre belle sérénité, elle va se trouver compromise à assez brève échéance.

— Que veux-tu dire ?

— Tu es prête à entendre une nouvelle bouleversante ?

— Oui, oui !

— Figure-toi que je suis enceinte. Pete et moi venons d'en avoir la confirmation.

— Pas possible !

Hallie eut un rire heureux.

— C'est ce que j'ai d'abord pensé, moi aussi. Depuis dix ans que nous sommes mariés, nous avions perdu l'espoir d'avoir un jour un enfant. Et puis, soudain... c'est incroyable, non ?

— Hallie !

Morgan se jeta dans ses bras.

— C'est magnifique ! Je suis si heureuse pour toi !

— Tu vas devenir tante, mon petit !

— C'est... je voudrais que ce soit tout de suite !

— Il va falloir que tu attendes un peu tout de même ; la naissance est prévue pour septembre.

— Hallie, il faut que désormais tu prennes grand soin de toi, que tu te fasses aider davantage ; peut-être qu'une pesonne de plus ici... ?

— Ah ! tu ne vas pas commencer ! Je ne suis pas aussi jeune que toi, c'est entendu, mais je n'ai quand même que trente ans. Je suis en pleine forme, et je n'ai l'intention de renoncer à aucune de mes activités habituelles.

— Peut-être les réduire un peu ?

— Il n'en est pas question !

Elle ébouriffa les cheveux de Morgan.

— On croirait entendre notre mère ! Je serai prudente, rassure-toi. Mais je n'ai pas l'intention de me retirer du monde !

— Quoi qu'il en soit, c'est une grande nouvelle. J'espère que tu me tiendras informée chaque semaine de la progression de ton état. Tu le feras, dis ?

— Je te le promets. Bon, maintenant, allons enfiler nos tenues de ski. Pete a promis de nous emmener dès qu'il rentrerait.

Le ciel était vraiment couvert, remarqua Ben Gerard en rangeant sa camionnette derrière l'auberge. Pete et lui auraient peut-être de la neige durant leur randonnée. Il s'en réjouissait. Il aimait le silencieux mystère des bois quand la neige tombait. Elle ne les gênerait pas : Pete et lui pouvaient aller n'importe où.

Ben était un bon skieur, mais Pete avait un niveau professionnel, acquis pendant ses années de jeunesse dans sa Suède natale, avant qu'il n'épouse Hallie et n'émigre aux Etats-Unis. Une blessure au genou avait contraint Petter Brundin à renoncer au ski alpin de compétition au bénéfice du ski de fond, qu'il pratiquait comme moniteur et comme guide.

— Hello ! Ben ! Les dames sont en tenue, elles se joignent à nous ! Nous sommes prêts à partir quand tu veux !

Ben refoula sa déception. Tant pis, il ne pourrait explorer seul avec Pete des sentiers inconnus. Hallie lui faisait signe de la main. Elle ne voudrait pas prendre trop de risques, même si elle était une skieuse expérimentée et une bonne sportive en général. Ben l'aimait beaucoup. Elle était drôle, généreuse, ne se plaignait jamais et partageait son amour pour ce pays.

Seulement voilà... A côté d'elle, belle comme une gravure de mode dans sa combinaison bleu argent, se tenait la jeune sœur au caractère si fantasque. Il porta la main à sa lèvre avec un grognement. Morgan. La jeune personne qui l'avait bien arrangé, la veille au soir, avant de s'emporter de façon inexplicable lorsqu'il lui avait proposé de l'aider.

Sans aucun doute, son snob de fiancé ne devait pas être loin. Avec des gens de leur espèce, la randonnée n'aurait plus rien de sportif. Il se demanda un instant s'il n'allait pas y renoncer. Mais il avait besoin de prendre de l'exercice. Toute la matinée, il était resté assis à son bureau, chez lui, à Ash Mountain, enfoui dans un monceau de rapports.

— Ben ! Quelle bonne surprise ! s'écria Hallie. Tu te souviens de ma sœur ?

— Oh ! très bien. Bonjour, Miss McKenna.

— Bonjour, monsieur Gerard.

Des deux côtés, le ton manquait de cordialité.

— En fait, tu devrais lui donner du « docteur » Gerard, observa malicieusement Hallie, même s'il veut nous faire croire qu'il n'est qu'un cow-boy solitaire sorti de ses montagnes.

— C'est vrai, vous êtes docteur ?

— Pas en médecine. Je suis un chercheur scientifique. Je travaille pour le Parc.

— Il est diplômé de Berkeley, insista Hallie. Il est venu ici pour étudier le comportement des ours. C'est un grand spécialiste.

— Si l'on peut dire, coupa Ben, gêné.

— C'est la pure vérité, sa modestie dût-elle en souffrir! s'enflamma Hallie. On lui a demandé d'écrire un livre sur les ours noirs; si seulement il pouvait se résoudre à s'asseoir devant une table pour le rédiger!

— Eh oui, soupira Ben, je suis un homme de terrain, que veux-tu! J'aime mieux passer la journée avec un animal qu'avec une machine à écrire.

— Alors, vous venez, bande de traînards? s'impatienta Pete. Nous n'avons pas la journée devant nous!

D'un élan souple, il se mit en mouvement sur ses skis, traçant la piste dans la neige fraîche. Hallie prit ses bâtons et le suivit.

Ben jeta autour de lui un regard circulaire.

— Personne d'autre ne vient? demanda-t-il à Morgan.

Celle-ci évita ses yeux.

— Je crains que non, répondit-elle.

Apparemment, elle avait eu une dispute sérieuse avec son fiancé, se dit Ben. Peut-être était-il parti? Il se rappela que juste avant de recevoir cette malencontreuse boule de neige, il avait aperçu une voiture qui fonçait dans la nuit.

Une seconde fois, il toucha sa lèvre blessée. Cela ne le regardait pas, après tout. Il était venu pour skier, et rien d'autre. Ils se mirent en route.

La vue était d'une beauté à couper le souffle, malgré le ciel couvert. Les montagnes déroulaient à l'infini leurs lointains bleutés; à l'ouest, c'était le panorama magnifique des monts et des plaines s'étendant jusqu'au Pacifique. Ben respirait profondément. C'était une sensation étourdissante, extraordinaire. Il était amoureux fervent de la nature, qui lui redonnait courage.

Morgan s'était arrêtée pour prendre une photo. Il fit halte à ses côtés, sans manifester d'impatience. La nature le rendait aussi plus sociable.

— C'est beau, n'est-ce pas? commenta-t-il.

Il avait remarqué l'expression extatique de la jeune fille.

— Oh! oui, soupira-t-elle. Cela me revigore jusqu'à l'âme.

— Votre âme serait-elle souffrante, Miss McKenna?

— Peut-être, acquiesça-t-elle avec un sourire.

Pour une citadine, elle n'était pas si mal, décida Ben. La veille, il l'avait étudiée brièvement, et avait décrété qu'elle n'était pas son type. Trop distante, trop policée. Et fiancée.

Ce matin, il la voyait tout autrement. Hors d'haleine, les joues rosies par le vent et l'effort, elle était délicieusement fraîche, tout à fait adorable, il devait en convenir — et attirante aussi.

Elle était occupée à régler son objectif.

— Quand on habite une ville, soupirait-elle, on a rarement l'occasion de voir l'horizon.

— Los Angeles, grimaça-t-il. Comment on peut vivre dans cette pollution, cela me dépasse.

Elle ne prit pas cette plaisanterie pour telle.

— Malheureusement, s'indigna-t-elle, tout le monde ne peut pas se permettre d'être aussi puriste que vous, monsieur Gerard! Figurez-vous qu'il y a des gens qui travaillent dans cette ville, qui y ont leur maison, leurs amis, toute leur vie.

Il haussa les épaules. Cette fille avait vraiment mauvais caractère!

— C'est une question de choix, grogna-t-il. Bon, venez, nous allons perdre les autres de vue si nous nous attardons.

— Allez devant, je vous rejoindrai. Je connais cette piste, je l'ai empruntée l'année dernière avec Hallie.

— Vous croyez? Il vaudrait mieux ne pas nous séparer. Regardez ces nuages, la neige peut recommencer à tomber à tout moment. Que vous arrivera-t-il alors?

— Rien du tout. Je veux attendre un rayon de soleil pour prendre cette photo.

— Vous risquez de patienter toute la journée.

— Oh, je vous en prie! Allez devant. Je vous rattrape dans quelques minutes.

— Bon, comme vous voudrez ! Mais si vous vous égarez, on n'enverra pas un Saint-Bernard vous chercher !

— A tout à l'heure, docteur Gerard.

Elle se concentra sur son cadrage.

Il s'éloigna, vexé. Du coin de l'œil, elle l'observait. Sur ses skis, il avait la grâce d'un danseur. Bientôt, sa canadienne rouge et sa tête noire disparurent dans les arbres. Morgan soupira. L'homme était plus séduisant qu'elle ne voulait l'admettre ; elle était troublée de l'attirance qu'il exerçait sur elle. Elle n'avait pourtant pas le temps de lui accorder la moindre pensée... Elle se tourmentait au sujet de ce qu'elle allait dire à Scott Townsend.

Un faucon planait dans le ciel. Morgan se prit à souhaiter être aussi libre que cet oiseau solitaire. Elle regarda encore une fois dans son viseur. Décidément, la lumière était trop faible. Ben Gerard avait raison sur un point : le soleil ne percerait pas les nuages. Elle prit tout de même la photo, à tout hasard.

Lorsqu'elle se remit enfin en route, Morgan s'aperçut assez vite que les autres avaient pris beaucoup d'avance sur elle. Tant pis, puisqu'elle connaissait la piste... du moins le pensait-elle. Elle se rappelait qu'à un endroit, la piste se divisait en deux. D'un côté, elle menait au Grand Pré, but de leur excursion ; l'autre direction menait au Pré au Lièvre, comme l'indiquait un panonceau. L'ennui, c'est qu'elle ne parvenait pas à évaluer la distance qui lui restait à parcourir avant de rencontrer ce panonceau.

Pour compliquer les choses, il commençait à neiger. Morgan examina les troncs des arbres qui bordaient la piste. Avec un peu d'attention, elle parviendrait à repérer les badges bleus qui les marquaient de loin en loin. Allons, tout irait bien. Il le fallait d'ailleurs. Elle avait affirmé à Ben qu'elle connaissait la piste, et elle ne voulait pas se ridiculiser à ses yeux.

Heureusement, elle était en excellente condition physique. Toutes les séances d'aérobic auxquelles Scott l'avait obligée à participer n'avaient pas été inutiles : elles l'avaient fortifiée et musclée. En un rien de temps, elle atteignit la bifurcation.

Bon ! Où était ce panonceau ? Apparemment, enfoui quelque part sous une congère. Elle devrait donc s'en passer. Le Grand Pré se trouvait-il à droite ou à gauche ? Elle hésita. *A gauche*, dit une voix en elle. *Il doit être à gauche.*

Une demi-heure plus tard, elle dut se rendre à l'évidence : elle s'était trompée. A cet endroit, la forêt s'éclaircissait, elle apercevait la piste qui descendait jusqu'au Pré au Lièvre. Son cœur se serra. Il neigeait maintenant à gros flocons. Elle extirpa un bonnet de sa poche et se l'enfonça jusqu'aux yeux.

Quelle déveine ! La seule solution était de rebrousser chemin. Elle avait manqué ses compagnons à présent. Hallie et Pete devaient s'inquiéter, Ben Gerard savourer sa supériorité sur elle : elle n'était qu'une novice, il le savait bien !

Juste au-dessus d'elle, un très ancien cèdre gronda. Tout alla très vite : elle leva les yeux, vit l'avalanche qui dégringolait de ses branches surchargées, se jeta de côté, coudes repliés sur la tête pour se protéger, et perdit l'équilibre. Elle tomba, glissa, roula jusqu'au bas de la pente sans pouvoir s'arrêter ; elle s'immobilisa tout en bas, le visage enfoui dans la neige.

Etourdie un instant, elle se redressa sur ses coudes, dégagea la neige qui lui emplissait le nez et la bouche. Apparemment, elle était en vie, et entière.

— Hé ! appela une voix d'en haut. Ça va ?

A travers le rideau de neige, Morgan reconnut la veste rouge. Ben. La dernière personne qu'elle eût souhaité voir. Elle aurait préféré mourir que de lui être redevable de quelque chose.

Manifestement, il avait l'intention de la secourir ; il progressait vers elle. Elle planta ses bâtons dans la neige et s'efforça de se remettre debout ; humiliation suprême, juste comme Ben arrivait, elle perdit à nouveau l'équilibre et retomba.

— Ça va? cria-t-il de nouveau.

Il avait l'air bouleversé par l'incident.

— Tout va bien? répéta-t-il encore.

— Mais oui.

— Vous n'avez rien de cassé? Vous êtes sûre?

— Absolument!

— Je vous donne un coup de main?

— Non, merci.

Il la regardait avec une intensité qui l'embarrassait terriblement. Elle reprit ses bâtons, recommença la manœuvre: les plantant dans la neige, elle les saisit et se hissa à la force des poignets. Ouf! elle y était presque. Elle jeta à Ben un regard de triomphe... et retomba.

Elle perçut nettement le fou rire qu'il tentait de réprimer en gardant un visage impassible.

— Je vous interdis de rire! tonna-t-elle en utilisant ce qui lui restait de forces.

Elle avait mal partout et se sentait épuisée.

— Pardonnez-moi, dit-il, je ne voulais pas vous offenser. Pour une créature aussi délicate, je dois dire que vous êtes la meilleure acrobate que j'aie jamais vue.

— Je ne me livre pas à cet exercice dans le seul but de vous divertir!

— Je m'en doute. Soyez raisonnable, donnez-moi la main et allons-nous-en d'ici avant que l'on entame des recherches pour nous retrouver.

— Où sont Hallie et Pete?

— Je leur ai dit de retourner à l'auberge. Ils ont un groupe qui arrive de San Francisco à cinq heures. Ils doivent être là pour l'accueillir. Je pressentais que vous étiez en difficulté. Je leur ai promis que je vous ramènerais vivante.

— On peut dire que j'ai de la chance, en ce cas? railla-t-elle.

— C'est exact, Miss. Bon, assez discuté, donnez-moi votre main.

Elle hésita.

— Ecoutez, s'écria-t-il, perdant brusquement patience, j'ai dit que je vous ramènerais et je vous ramènerai, même si je dois vous tirer au bout d'une corde. Décidez-vous, Miss McKenna.

Elle lui tendit la main à regret. Il la hissa à lui. Malheureusement, leurs skis s'étaient emmêlés; cette fois, ils tombèrent tous les deux.

Ben atterrit sur le dos. Elle tomba sur lui, la tête contre sa poitrine.

— Bon sang! explosa-t-il, la voix rauque. Tout ceci devient ridicule!

Elle leva la tête et plongea dans ses yeux, plus noirs que jamais, qui exprimaient la contrariété. Sa bouche était toute proche. Elle remarqua le gonflement de la lèvre inférieure, souvenir de la boule de neige qu'elle lui avait lancée. Il avait une belle bouche...

L'espace d'un instant, Ben soutint son regard avec colère. Puis, subitement, il se mit à rire.

— Nous faisons un fameux numéro, tous les deux!

Ce devait être contagieux: elle fut prise de fou rire à son tour. Cela dura quelques minutes, pendant lesquelles ils furent l'un et l'autre incapables d'autre chose que de rire, et encore de rire. Ben fut le premier à se reprendre.

— Allons, dit-il en s'asseyant, essayons encore. Hop!

La chaleur de ce feu était une vraie merveille. Morgan lui offrait son dos avec délices. Ben sourit.

— Maintenant, vous commencez à avoir l'air vraiment vivante, dit-il.

— Quel air avais-je donc auparavant?

— Oh! je ne sais pas.

Il s'enfonça dans son fauteuil, croisa ses bottes sur le rebord de pierre du foyer.

— Quand les gens arrivent de la ville, ils ont toujours l'air harassés, préoccupés. Ils sont souvent incapables de savourer la minute présente. Au bout de quelques jours, ils se détendent. Alors, leur véritable personnalité apparaît.

Morgan médita ces paroles.

— Je me suis montrée d'humeur plutôt difficile, n'est-ce pas? dit-elle enfin. Il faut m'en excuser. Vous n'étiez pas spécialement concerné.

— C'est ainsi que je l'ai pris.

— Merci de m'avoir aidée.

— Je vous en prie.

— Restez-vous pour le dîner?

— Suis-je invité?

Elle sourit.

— Je suis certaine que Pete et Hallie en seront ravis. N'oubliez pas que sans vous, à l'heure qu'il est, je serais probablement gelée sous la neige du Pré au Lièvre!

— J'en doute. Je resterai néanmoins.

— Bon. Je vais prévenir Hallie. A tout à l'heure.

Hallie était à la cuisine, occupée à griller des côtes d'agneau.

— Inviter Ben? Excellente idée! Mais le dîner ne sera pas prêt avant une bonne dizaine de minutes: Pascal et moi sommes en retard. Tu devrais aller te changer, en attendant, tes vêtements sont humides.

— D'accord.

En route, elle s'arrêta au bureau de la réception. Peut-être y avait-il un message pour elle? Il s'était écoulé presque vingt-quatre heures depuis le départ de Scott.

— Non, madame, répondit le préposé à la réception, pas de message à votre nom.

Elle se rembrunit. Scott serait-il encore fâché? Sitôt dans sa chambre, elle composa son numéro. Il n'était pas chez lui. Elle essaya le bureau.

— Townsend, dit une voix excédée. J'écoute.

— Scott, c'est moi, Morgan.

— Ah ! Morgan. Où es-tu ?

— A l'auberge.

Elle prit une profonde inspiration.

— Qu'est-ce que tu fais ? Tu es toujours fâché ?

— Non, non, mais... je suis occupé. Que se passe-t-il ?

— Oh ! rien, je voulais seulement te dire que j'avais trouvé une voiture pour rentrer.

— Très bien. Alors, à lundi.

— Scott...

— Quoi encore ?

On entendait dans le récepteur le froissement de pages que l'on feuillette.

— Qu'y a-t-il, Morgan ? Je ne peux pas te parler.

— Tu n'as rien à me dire ?

— Passe un bon moment. Profites-en bien. Je dois te laisser, je suis submergé de travail.

— D'accord, Scott. A bientôt.

Il avait déjà raccroché.

Morgan demeura quelques secondes sans bouger. Elle tenait toujours le récepteur.

Il ne lui avait même pas dit au revoir. Il ne voulait pas perdre une seconde de plus, le temps de lui dire « au revoir », sinon « je m'excuse » ou « comment vas-tu ? » ou encore « je t'aime »... Force lui était de comprendre où elle venait sur la liste de ses priorités. Tout en bas.

Elle enleva ses vêtements de ski, prit une douche chaude pour détendre les muscles contractés de sa nuque et de son dos. Dès son retour, elle devrait avoir avec Scott une grande conversation. Si leur mariage avait lieu, il faudrait que ce soit sur des bases entièrement nouvelles.

En attendant, pourquoi ne pas le prendre au mot et passer une soirée aussi agréable que possible ? Elle se sécha rapidement, enfila un pantalon à pinces couleur chocolat et un moelleux chandail rose à col roulé. *Oui, passe un bon moment*, dit-elle à son reflet dans le miroir, *profites-en* !

— Je n'ai pas envie de café, dit-elle à son voisin à la fin du dîner. Ce qui me ferait vraiment plaisir, ce serait de prendre un *Irish coffee* au bar. Je vous en offre un ?

Il la regarda droit dans les yeux. Il avait le regard perçant.

— Non merci, Miss, mais vous pouvez m'offrir un Scotch.

Quel diable la poussait à aguicher cet homme ? Elle ne le savait pas, et ne voulait pas le savoir. Elle s'amusait. Scott ne lui avait-il pas conseillé de prendre du bon temps ? L'idée d'offrir un verre à Ben lui procurait une satisfaction non dénuée de malice. Elle était rassurée ainsi qu'un homme au moins se plaise en sa compagnie.

Dans le petit bar accueillant, ils s'installèrent près d'une fenêtre. Le clair de lune nimbait le paysage couvert de neige. Ben ôta sa canadienne et la jeta sur le dossier de son fauteuil. Dans ce geste, il fit tomber de sa poche un petit carnet noir qui s'ouvrit aux pieds de Morgan. Elle le ramassa.

— On dirait que vous avez perdu votre carnet secret, docteur Gerard !

— Merci, dit-il en tendant la main. Que serais-je sans mon petit carnet noir ?

— Pas si vite, pas si vite !

Tout en sirotant son café irlandais, elle s'amusa à jeter un coup d'œil sur la page ouverte.

— Oh ! mais c'est réellement un carnet secret ! Que vois-je ici ? « Lily ». Suit une liste de dates et de chiffres.

Elle examina Ben avec curiosité.

— Lily... Je vous ai entendu mentionner ce nom hier soir. Elle vous cause des ennuis, c'est cela ?

— Lily est une cause perpétuelle d'ennuis. Mais elle en vaut la peine.

— Ah oui ?

Elle se sentit légèrement désappointée. Pourquoi, d'ailleurs ? Il était naturel qu'un homme aussi séduisant ait une petite amie ! Peu lui importait... Elle flirtait un peu avec lui, d'accord. Et alors ? Cela n'irait pas plus loin.

— D'autre part, poursuivit Ben, Alicia me cause beaucoup plus d'ennuis que Lily. Je crains même de devoir la rayer de ma liste.

Morgan ouvrit des yeux stupéfaits. Elle tourna la page pour s'assurer que le nom « Alicia » était bien inscrit. Ainsi, l'homme n'avait pas une petite amie, mais deux. Intéressant.

Abasourdie, elle tourna encore une page. « Blondie », lut-elle.

— Blondie? Quelle est l'histoire de Blondie?

Ben lui prit la main à travers la table.

— Morgan, pouvez-vous garder un secret? demanda-t-il en baissant la voix.

— Naturellement.

— J'ai quelques raisons de croire que Blondie est enceinte, chuchota-t-il.

Morgan devint écarlate. Elle referma vivement le carnet et le lui tendit.

— Je ne voulais pas être indiscrète. Votre vie privée ne me regarde pas.

— Oh! Il n'y a pas de mal. Au contraire, je suis content de pouvoir en parler à quelqu'un. Cela m'a beaucoup tracassé ces temps-ci et j'aimerais avoir l'avis d'une femme sur ce sujet.

Très gênée, Morgan évitait son regard.

— Que pensez-vous faire pour Blondie?

— Je ne sais pas, moi. Que puis-je faire?

— Pour commencer, vous pourriez l'épouser.

— Moi, l'épouser? Pour rien au monde je n'irais aussi loin!

— Ben!

Elle avait retiré sa main.

— Je veux dire, Blondie est très bien mais elle n'a rien d'extraordinaire.

— Comment pouvez-vous être aussi... aussi insensible?

Il eut l'air sincèrement perplexe.

— Mais que penseraient mes autres dames? Je ne peux pas disparaître ainsi de leur vie! Vous n'avez pas idée de l'impatience avec laquelle elles attendent ma venue; vous comprenez, Morgan, je...

— Excusez-moi, je crois que j'ai besoin de prendre un peu d'air. Celui qu'on respire dans cette pièce ne me plaît pas — trop vicié, sans doute...

Elle fit mine de se lever; il la retint par le poignet.

— Je vous en prie, ne partez pas encore. Je suis anxieux de connaître votre avis sur mon problème.

Plutôt que de provoquer une scène, elle se rassit à contrecœur.

— Alors, reprit-il sur un ton contrit, vous croyez que je dois quelque chose à Blondie?

— Je pense que vous devriez lui téléphoner immédiatement pour l'informer de l'endroit où vous vous trouvez. C'est trop affreux de ne pas savoir quand on aime.

Il hocha gravement la tête.

— Oui, sans doute... Mais je ne peux pas l'appeler maintenant. Elle dort.

— Voyons, il n'est que neuf heures! A quel moment se couche-t-elle?

Les sourcils froncés, Ben réfléchit intensément.

— Que je me rappelle... Habituellement, elle se couche... en janvier, et s'éveille vers la fin mai.

— Que me racontez-vous là?

— Blondie est une ourse, Morgan.

Il ne contenait plus qu'à grand-peine son hilarité.

— Lily, Alicia et Blondie sont des ourses. Je les aime beaucoup toutes les trois.

Complètement ahurie, Morgan le contemplait fixement sans pouvoir trouver de repartie. Il l'avait totalement mystifiée! En dépit d'elle-même, elle se mit à rire.

— Venez, dit Ben qui riait aussi, visiblement ravi du succès de sa farce. Vous vouliez prendre l'air? Allons marcher un peu; il a cessé de neiger.

— Vous..., hoquetait Morgan, vous m'avez... Quel toupet!

Elle riait tellement qu'elle en avait les larmes aux yeux.

— C'est vous qui l'avez cherché, Morgan, à fouiller ainsi dans mes notes !

— Moi ?

— Bien sûr ! Et puis, je voulais vous entendre rire. Vous avez besoin de rire davantage, Morgan.

— Mais je ris, je ris ! Souvenez-vous, cet après-midi...

— Oui, cet après-midi, vous avez ri. Mais la plupart du temps, vous êtes triste.

Elle détourna les yeux. Il était perspicace, en plus. Pour le moment, en tout cas, elle se sentait merveilleusement bien.

— Marchons jusqu'à l'étang, proposa-t-elle, pour voir s'il y a des patineurs.

— Vous n'aurez pas froid ?

— Non, non, venez !

La nuit scintillait d'étoiles par-dessus les cèdres et les grands sapins. Ils prirent le sentier qui menait à l'étang. Dans le silence cotonneux, on n'entendait que le crissement de leurs bottes dans la neige.

— Blondie est-elle réellement enceinte ? s'enquit Morgan qui souriait encore au souvenir de la malice de Ben.

Dire qu'il avait le visage si franc !

— Blondie ? C'est plus que probable ; l'avenir le dira. Peut-être s'éveillera-t-elle de son long sommeil avec deux oursons auprès d'elle.

— De quelle façon gardez-vous sa trace ?

— Elle porte autour du cou un collier équipé d'un dispositif radio. Blondie n'est plus de la première jeunesse. Elle n'a pas été aisée à capturer.

Ils arrivaient en vue de l'étang.

— Il n'y a personne, dit-il. Dommage.

L'étang luisait comme un miroir noir sous le clair de lune. Morgan gagna un banc abrité et s'y assit.

— Vous patinez ? demanda Ben resté debout derrière elle.

Elle se retourna. Ainsi éclairé par la lune, son visage avait ce côté indien qui l'avait déjà frappée, visible surtout sur ses traits au repos. Elle contempla les pommettes saillantes sous lesquelles se creusaient la ligne des joues, le menton ferme, le modelé remarquable des lèvres.

— Vous savez? insista-t-il.

— Quoi donc?

Elle frissonna.

— Vous avez froid! C'était à prévoir!

Il ouvrit la fermeture à glissière de sa canadienne.

— Non, non je ne veux pas votre manteau, Ben. Je vais très bien, je vous assure.

Elle frissonna encore.

Il enjamba le banc, s'assit près d'elle. Il l'attira à lui, dos contre sa poitrine et l'enferma dans la chaleur du vêtement fourré, qui les enveloppait tous les deux.

— Je vous demandais si vous aimiez patiner, reprit-il.

Elle sentait son souffle chaud dans ses cheveux.

— Eh bien je... heu...

Elle était incapable de formuler une réponse cohérente. Etre aussi près de lui la troublait intensément. Elle croyait entendre son propre cœur battre sauvagement à ses oreilles.

— Je... Je patinais quand j'étais petite, il y a des années de cela. J'ai dû oublier, je suppose, bredouilla-t-elle.

— Non, on n'oublie jamais.

Il se mit à siffler une mélodie, son incongru qui perçait le silence de la nuit. Elle connaissait cet air, bien qu'elle ne pût le situer. C'était une valse croyait-elle, sur laquelle elle avait dansé, ou patiné, bien des années auparavant...

Les minutes passaient. Elle sentait la chaleur de Ben la pénétrer tout entière, elle avait l'impression de fondre avec lui dans ce cocon improvisé. C'était une sensation délicieuse, d'une douceur irréelle. Elle pensa qu'elle ne devrait sans doute pas se trouver là. S'en aller, tout de suite... Elle découvrit qu'elle n'en avait aucun désir.

Il la libéra enfin, gardant encore ses mains dans les siennes pour les frictionner.

— Ça va mieux ? Vous êtes réchauffée ?

Elle le contempla fixement, à demi hypnotisée. Ce renflement sur sa lèvre inférieure, là où sa boule de neige l'avait atteint... Impulsivement, elle avança les doigts pour le toucher très délicatement.

— Votre bouche..., murmura-t-elle. C'est douloureux ?

— Non.

Elle passa son index sur la lèvre endolorie tout en plongeant son regard dans le sien. *Que fais-tu là, que fais-tu ?* chuchotait en elle une petite voix insistante. Mue par une sorte d'appel irrésistible, elle ne put se résoudre à écouter cette petite voix.

Ce fut lui qui l'arrêta en prenant sa main.

— Morgan... non. Ce n'est pas moi que vous voulez. Venez, partons. C'est de la folie.

Les yeux de la jeune femme brûlaient d'un feu ardent qu'il reconnaissait : le désir de toucher, le désir qu'on la touche... Il retint sa respiration. Elle lut sur son visage une expression où se mêlaient étrangement le désir et la peine. Brusquement, il prit son visage entre les mains et s'empara de sa bouche. C'était le baiser brutal d'un homme affamé. Elle chercha l'air et s'arqua contre lui. Sa bouche s'ouvrit tout naturellement à celle de l'homme et ils s'embrassèrent avec passion.

Leur baiser s'interrompit aussi brusquement qu'il avait commencé ; elle se rejeta en arrière dans un cri, effrayée par l'ardeur qu'il avait suscitée en elle.

— Morgan...

Il voulut la reprendre contre lui. Elle se leva comme une somnambule, trébucha.

— Morgan, attendez-moi...

Elle secoua la tête.

— Ne me regardez pas, murmura-t-elle dans un souffle.

Le silence s'étendit entre eux. Elle percevait la respiration saccadée de Ben. Il se décida enfin à parler.

— Vous ne vous attendiez pas à cela... Moi non plus, je

l'avoue. Vous vouliez juste vous offrir une petite vengeance contre votre fiancé, pas trop méchante ?

Il rit.

— Eh bien, vous l'avez eue votre vengeance, Miss McKenna !

Humiliée, bouleversée, elle ne trouva rien à répondre. Tournant les talons, elle s'éloigna en courant, gagna le sentier qui menait à la sécurité de l'auberge. Il n'essaya pas de la suivre, bien qu'elle sentît son regard lui brûler le dos.

C'était vrai, elle avait flirté outrageusement. Elle l'avait provoqué. Mais elle ne voulait pas, non, elle ne voulait en aucun cas que les choses aillent aussi loin.

Encore que...

3.

A peine Morgan eut-elle ouvert les yeux qu'un puissant sentiment de honte lui fit plonger la tête sous les couvertures. La lumière du matin lui avait instantanément rappelé l'épisode de la soirée dc la veille. Ben Gerard ! Elle s'était pratiquement jetée à sa tête ! Elle, Mary Morgan McKenna, jeune fille bien sous tous rapports et fiancée d'un autre, s'était laissé dominer par son attirance passagère pour un étranger, au point de...

Elle s'empourpra au souvenir du baiser qu'il lui avait donné, et de ce qu'il avait suscité en elle. Sans parler du rêve qu'elle avait fait ensuite, beaucoup plus tard, lorsqu'elle était enfin parvenue à s'endormir...

Elle se précipita sous la douche, dont elle régla le jet au maximum. Il lui fallut toute la réserve d'eau chaude pour se calmer. Elle s'obligea à penser à Scott. Quelles que soient leurs difficultés présentes, elle était fiancée à cet homme. La solution à ses problèmes n'était certainement pas dans ce flirt dangereux et insensé qu'elle avait eu avec Ben Gerard. Elle n'y voyait qu'une conduite de fuite, une façon d'échapper à ses responsabilités. Il fallait absolument chasser cet épisode de son esprit.

Forte de sa résolution, elle se sécha et s'habilla. Un coup d'œil à sa pendulette de voyage lui apprit qu'il était presque dix heures. Dix heures, mon Dieu ! Elle était dans un tel état la veille qu'elle avait oublié de régler la sonnerie. Maintenant, il lui restait à espérer que Hallie serait assez bonne pour lui donner quelque chose à manger, bien que l'heure du petit déjeuner soit largement dépassée. Abby Goldman voulait partir avant midi, et elles ne prendraient certainement pas le temps de déjeuner en route.

En bas, dans la cuisine vide, elle trouva un pot de café encore chaud sur le coin du fourneau, et le reste d'un gâteau qu'on n'avait pas débarrassé. Merveille, elle qui avait si faim ! Elle se servit en soupirant d'aise. Elle venait d'entamer avec un bel entrain sa tranche de gâteau fondant à souhait et bourré de raisins quand la porte s'ouvrit derrière elle. Elle se retourna, la bouche pleine.

C'était Ben.

Sous le coup de l'émotion, le gâteau prit la mauvaise direction. Elle s'étrangla, suffoqua et fut prise d'une quinte de toux irrépressible. Les larmes lui montaient aux yeux. Elle se couvrit le visage d'une main, humiliée de ne pouvoir contrôler cette toux indésirable.

Deux minutes éternelles passèrent. Ben se décida enfin à lui venir en aide. La maintenant de son bras passé autour de ses épaules, il lui tapota vigoureusement le dos.

— Oh ! gémit-elle lorsqu'elle retrouva l'usage de la parole. Je suis confuse !

— Ne le soyez pas, voyons. C'est un incident qui peut arriver à tout le monde.

A contrecœur, elle leva les yeux sur lui. Il était plus beau que jamais. Le gonflement causé par sa boule de neige avait entièrement disparu. Regardant cette bouche, et évoquant son pouvoir, elle se troubla.

— Ce n'est... ce n'est pas seulement cela, Ben. Je... Je suis confuse pour hier soir. Je vous dois des excuses.

— Vous?

— Que devez-vous penser de moi après la façon dont je me suis conduite?

Un sourire passa dans les yeux de Ben.

— Il faut avouer que vous n'étiez pas mal... Pendant cinq secondes, vous avez même été une vamp redoutable... avant que je n'entre en action.

Morgan rougit.

— Que devez-vous penser de moi? répéta-t-elle.

— Oh! je pense que vous êtes probablement un peu désemparée. Vous avez des soucis à propos de votre fiancé et vous ne savez plus très bien où vous en êtes avec vous-même.

— C'est vrai. Je me suis conduite comme une sotte. Pardonnez-moi.

— Bon, assez d'excuses. Tout cela n'est pas bien grave, nous avons eu l'un et l'autre une idée saugrenue, simplement. Pour ma part, j'ai déjà oublié. Si vous me serviez une tasse de café, à présent?

Il parlait en homme accoutumé à ce que toutes les femmes succombent à son charme, songea Morgan, un peu vexée tout de même. Ce qui était probablement le cas.

— Vous prenez de la crème? Du sucre?

— Je le préfère noir, merci. Je vais à Fresno avec Pete, pour ramener des provisions.

Il se frotta les yeux.

— J'ai besoin d'un stimulant, car je suis au travail depuis l'aube: j'ai suivi un couple d'ours par radio.

— Comment va Blondie? demanda-t-elle, heureuse de la diversion.

— Elle dort profondément.

— Et Lily et Alicia?

— Pas de problème pour le moment.

Elle réfléchit.

— Dites-moi, Ben, qu'est-ce qui vous a amené à entreprendre ce travail si particulier ?

— Vous voulez vraiment le savoir ?

— Oui.

— Oh ! c'est une longue histoire. En fait, c'est le destin qui m'a amené ici.

— Le destin ?

— Oui, Miss, le destin. Quand j'étais petit, je passais tous les étés avec ma grand-mère qui habitait à quelques lieues au nord d'ici. Son nom de baptême était Eliza Stone ; en réalité, elle s'appelait Singing Bear, l'Ourse qui chante. C'était une Indienne Shoshone. Tout ce que je sais d'important, ou presque, je l'ai appris d'elle.

— Quoi, par exemple ?

— Ce n'est pas facile à exprimer. Le savoir que j'ai reçu de ma grand-mère venait moins de son discours que de sa façon d'être, tout simplement. Tous ses gestes révélaient le respect qu'elle avait pour la terre, et pour la moindre de ses créatures. Elle a profondément ancré en moi l'idée que les animaux sont mes semblables, et que mon destin est lié au leur. Cela vous paraît naïf, sans doute.

Morgan écoutait, fascinée.

— Continuez, je vous en prie.

— Ma grand-mère est morte quand j'avais douze ans. Je n'ai pas oublié. Bien des années plus tard, quand je suis entré à l'Université de Berkeley, je savais que je voulais travailler dans le domaine de l'écologie, de la préservation des espèces sauvages. J'ai sympathisé avec un professeur qui m'a recommandé pour un projet d'étude dans le Parc National Yosemite. J'ai obtenu mon diplôme en passant trois années à étudier là-bas le comportement des ours.

— Comme c'est drôle ! Vous aviez une tente dans les bois ?

— Non, sourit Ben, j'habitais une maison avec ma femme.

Morgan tressaillit.

— J'ignorais que vous étiez marié.
— Je l'étais.
— C'est terminé ?
— En effet.
Il avait une expression soigneusement impersonnelle ; pourtant, Morgan aurait juré qu'une ombre de chagrin avait voilé ses yeux.
— Que s'est-il passé ? demanda-t-elle impulsivement.
— Elle s'est tuée au cours d'une reconnaissance. Une mauvaise chute.
— Oh ! Ben, je suis désolée... Quelle tragédie !
— Oui. Cela a été affreux.
— Pardon de vous avoir rappelé un souvenir aussi triste.
Il resta silencieux quelques instants.
— Presque quatre ans se sont écoulés. Je peux en parler à présent.
Elle le regarda replacer délicatement sa tasse de porcelaine sur la soucoupe. Il avait des mains fortes d'homme qui vit en pleine nature. L'ongle du pouce était bleu ; sans doute avait-il reçu un coup. Malgré leur rudesse, ces mains exprimaient une telle sensibilité qu'elle en fut touchée. Elle se sentit soudain très proche de lui, comme s'ils étaient devenus des amis intimes.
— Comment s'appelait-elle ?
— Mary.
— Mary... Mon premier nom est Mary, à moi aussi.
— Je sais. Celui dont vous ne vous servez pas.
— Comment était votre Mary ?
— Elle était... formidable. Que pourrais-je vous dire ?
— Ce que vous voulez.
— Mary Elizabeth Hanauer et moi étions au lycée ensemble. Nous nous sommes mariés le lendemain de la remise des diplômes. Nous n'étions encore que des enfants. Mais nous avions toutes les certitudes, et surtout

celle que nous vivrions ensemble pour la vie. Elle était directe, indépendante, généreuse. J'étais fou d'elle.

— Physiquement, comment était-elle ?

— Grande, athlétique. Elle avait les cheveux bruns, les yeux bleus. Et une trop grande bouche. J'aime les femmes qui ont une bouche trop grande.

Il sourit. Ses yeux restaient tristes.

— Nous aurons eu trois années de bonheur ensemble. Je suis reconnaissant à la vie de me les avoir données.

— Trois années... C'est trop injuste !

— Qui a dit que la vie était juste ?

— Mais...

— La vie est la chose la plus fragile et la plus capricieuse qui soit. Elle peut être infiniment douce, ou terriblement amère. Et rien ne sert de vouloir en retenir la douceur ni l'amertume.

Morgan le considéra en silence un moment.

— Et comment vivez-vous actuellement, Ben ?

— Je vis sans liens.

La porte qui s'ouvrit à ce moment interrompit leur conversation. Hallie entra.

— Ah, tu es là, Ben. Pete est en train de charger du matériel dans la camionnette, il demande si tu peux lui donner un coup de main.

— Bien sûr !

Il cueillit un raisin sur le gâteau.

— J'y vais. Merci pour le café, Morgan.

— Il n'y a pas de quoi, murmura-t-elle.

— Dis donc, pouffa Hallie quand il fut sorti, j'ai l'impression que je suis arrivée au mauvais moment ! Tu as une drôle de tête, Mary Morgan.

— Non, non... nous causions, simplement. Ben me parlait de sa femme.

— Ah ! Mary Gerard. Quelle triste histoire !

— Tu la connaissais ?

— Non. Nous avons rencontré Ben quand il a été transféré du Parc Yosemite, peu après la mort de Mary.

— Il semble s'y être résigné, en esprit du moins.

— Nous aimerions le croire.

— Tu ne le penses pas?

— Je ne sais pas. Il est dix fois plus en forme qu'au moment où nous l'avons connu, c'est certain. Cela signifie-t-il qu'il a trouvé la paix? Je ne saurais le dire. Il est toujours un peu secret.

— Il ne vit sûremement pas comme un moine.

— Non, il est trop séduisant pour cela. Malheureusement, je crois qu'il est beaucoup plus intéressé par ces vieux ours malodorants que par aucune des femmes que j'ai pu voir en sa compagnie.

Morgan ne trouva plus rien à dire. Lentement, elle se mit à ranger les restes du petit déjeuner. Quel homme pétri de contradictions que ce Ben Gerard... Son charme désinvolte cachait une nature passionnée, d'une rare intensité. Soudain, la ferveur de son baiser lui revint en mémoire. Un baiser brûlant d'une ardeur qu'elle n'avait jamais expérimentée auparavant. Celle d'un homme privé d'amour. Malgré les apparences, Ben Gerard était certainement un homme seul.

Hallie interrompit le cours de sa rêverie.

— Rends-moi un service, mon chou, cours porter ce thermos de thé à Pete avant qu'il ne démarre. Tu es chaussée et moi je ne le suis pas!

— Tout de suite.

Ben, assis au volant, faisait chauffer le moteur qui protestait en toussant. Morgan tapa à la vitre. Il ouvrit la portière.

— C'est un cadeau de Hallie pour Pete, expliqua-t-elle en montrant le thermos.

Ben le posa sur le siège.

— Pete va revenir, je le lui donnerai.

— Bon, eh bien...

Intimidée, elle passa d'un pied sur l'autre, vacilla un peu sur la glace. Devait-elle partir immédiatement ou rester? Ben la considérait, charmé de sa maladresse.

— Au revoir, dit-elle brusquement, en se détournant.

— Attendez une minute!

Elle pivota vers lui.

— Soyez gentille, revenez.

En deux enjambées, elle fut près de la voiture. Il prit sa main, qui eut l'air d'un jouet entre les deux siennes. Instantanément, une onde de chaleur traversa la jeune fille.

— Quand partez-vous?

— Dans une heure environ. Abby me conduit jusqu'à Los Angeles.

— Vous partez donc aujourd'hui. Parfait.

— Comment cela: parfait? s'indigna-t-elle en riant.

— Oh! Je crois qu'il est bon que vous rentriez chez vous. Réconciliez-vous avec votre ami et mariez-vous vite.

Il lui baisa la main, à l'ancienne mode. Une vive rougeur monta aux joues de la jeune fille.

— Merci de vos bons vœux, docteur Gerard, lança-t-elle. Je suis heureuse d'avoir votre bénédiction personnelle.

— Quand je vous reverrai, vous serez madame... quel est son nom, déjà?

— Townsend.

— Townsend, c'est vrai. Je vous souhaite bonne chance, Morgan.

En s'éloignant, elle perçut distinctement le profond soupir que poussait Ben. Cela ressemblait à un soupir de soulagement.

En arrivant dans son appartement ce dimanche soir, Morgan eut la surprise de trouver un énorme bouquet de roses qui l'attendait. Sur le carton qui l'acompagnait, elle lut: « Si nous dînions ensemble, demain après le travail? Tu m'as manqué. »

Scott serait-il désireux de réparer ses torts ?

Le lendemain, il l'enleva à la sortie du bureau, ainsi qu'il l'avait annoncé. Ils allèrent dîner chez *Spago*, un restaurant à la mode. Lorsque Morgan, rassemblant tout son courage, aborda le sujet qui la préoccupait, leurs relations, il écouta patiemment.

— Parfait, dit-il quand elle eut terminé. Je suis très satisfait de ta mise au point, chérie. Les choses vont aller beaucoup mieux à dater de maintenant, tu verras.

Morgan était sous le coup de l'étonnement. Elle s'attendait à des résistances, à des argumentations sans fin ; qu'il cède aussi facilement la déconcertait.

Il souriait de toutes ses dents irréprochables.

— Tu veux désormais prendre seule tes décisions ? Bravo ! J'en suis enchanté. Tu sais que tu peux toujours compter sur moi si tu te trouves dans l'embarras.

— Fantastique, murmura-t-elle.

— Et je vais m'organiser pour qu'à l'avenir, nous passions plus de temps ensemble. Ce sera pour moi un objectif prioritaire, je t'en donne ma parole.

— Magnifique.

Que dire d'autre ? Il était peut-être sincère. Ils avaient peut-être une chance de parvenir à s'entendre, malgré tout... Déjà, il était revenu à son thème de prédilection : le travail.

— On m'a dit que tu allais être chargée de rédiger les annonces pour *Adonis*. C'est formidable, Morgan. Si tu réussis ce travail, tu seras en selle pour une promotion intéressante.

— Avant de penser à la promotion, il faut que je pense à la campagne ! soupira-t-elle. Celle-ci est d'un compliqué !

— Moi, je te conseille de t'attacher à la promotion. Si tu l'obtiens, elle arrangera drôlement nos plans comptables. Il nous sera possible d'effectuer un premier versement sur ce duplex que nous avons visité, tu sais bien ?

— Pourquoi tant de hâte ? Je croyais que nous habiterions ton appartement pendant quelque temps. Il est bien assez grand, Scott, et il me plaît.

— Il est assez grand pour nous deux, mais une fois mariés, nous aurons envie de recevoir beaucoup. Il nous faudra un espace plus vaste, et de meilleur standing.

— J'hésite à m'engager dans ces frais en comptant sur une promotion que je n'ai pas encore.

— Ne te tourmente pas, tu l'auras. J'ai su que tu étais une gagnante dès le premier instant de notre rencontre.

Adonis était le nom d'une nouvelle eau de toilette pour hommes que lançait Bicknell, société qui avait commercialisé avec succès une ligne de produits de soins pour la peau. Morgan avait déjà travaillé pour Bob Bicknell et en avait gardé un mauvais souvenir. Non content de diriger sa société, il prétendait tout régenter, y compris les campagnes publicitaires de ses produits. Il était pratiquement impossible de le satisfaire. Morgan savait qu'après avoir travaillé des centaines d'heures à définir le concept juste, elle devrait lui soumettre sa copie. Il la réécrirait à son idée et, selon elle, à son désavantage.

Inévitablement, lorsqu'elle eut terminé sa première rédaction des annonces *Adonis*, Bicknell trouva à redire à chaque mot ou presque. En particulier, les termes *senteur* et *fragrance* n'eurent pas l'heur de lui plaire.

— Trop mièvre, trop efféminé, décréta-t-il. N'oubliez pas que cette campagne s'adresse à de vrais hommes, à des hommes virils !

— Donne-moi ton avis, demanda ensuite Morgan à Scott. Le mot *senteur* te paraît-il efféminé, à toi ?

— Mon avis n'a aucune importance. Seul celui de Bicknell compte.

— Mais enfin, il faut informer le consommateur de ce qu'il achète ! Qu'il sache s'il s'agit d'eau de toilette ou de nitroglycérine !

Elle prit un petit flacon posé sur le coin de son bureau, l'ouvrit et le tendit à Scott.

— Tu as déjà respiré cette odeur? C'est épouvantable, je n'en voudrais pour rien au monde!

— Morgan, ton métier est de vendre *Adonis* au public, que tu l'aimes ou non.

— Je sais.

Elle se frotta les tempes du bout des doigts. Depuis qu'elle était revenue de la montagne, elle avait la migraine.

— Tu sais, quelquefois, cela me déprime.

— Qu'est-ce qui te déprime?

— Oh! tout cela est si absurde... Promettre à l'Américain moyen qu'avec une seule goutte d'*Adonis* sa vie va se trouver transformée! Richesse, amour, succès... le grand jeu!

— Et alors?

— Alors c'est un mensonge! Ici, dans mon bureau, je passe ma vie à mentir aux gens!

— Allons, allons! Tu es fatiguée, c'est tout. Ecoute, on m'a parlé d'un nouveau restaurant, épatant paraît-il. Si nous y allions ce soir?

— Tu comprends, je voudrais seulement faire quelque chose en quoi je puisse croire. J'aimerais trouver une signification à mon travail...

— Morgan! Je t'interdis de parler de cette façon. C'est anti-productif. Tu as un très bel avenir chez *Weinstein, O'Connor et Associés* et je ne te laisserai pas te dévaloriser ainsi, tu entends? Bon, retourne à ton travail maintenant.

Morgan revint à son travail. Elle se tortura l'esprit, reprit à zéro la rédaction de son projet. Cette fois, elle obtint l'agrément de Bicknell. Mais l'insatisfaction dont elle avait osé faire part à Scott ne cessa de grandir. Ce travail l'avait amusée au début, certes. Surtout quand elle s'enthousiasmait naïvement pour le produit qu'elle devait promouvoir. A présent, il lui devenait plus pénible. Peut-être ne lui convenait-il pas? Peut-être n'avait-elle pas les qualités requises pour travailler dans la publicité? Chaque soir avant de s'endormir, elle tournait et retournait ces pensées dans sa tête. Elle finit par développer une telle aversion pour ce métier qu'elle craignit de ne bientôt plus pouvoir produire une seule ligne.

Pour tout compliquer, elle voyait avec angoisse approcher le jour de son mariage. Ses relations avec Scott n'avaient pas évolué comme elle l'espérait. Malgré sa promesse de lui accorder davantage de temps, il passait la plus grande partie de ses week-ends au bureau. Elle essaya de lui parler; chaque fois, il hocha consciencieusement la tête d'un air qui se voulait très attentif. Elle avait pourtant le sentiment qu'il était ailleurs.

Une nuit, après des heures d'insomnie, au moment où elle allait enfin s'endormir, elle eut une vision très nette d'elle-même: celle d'une jeune fille qui se précipitait dans un avenir incertain, avec un homme qu'elle connaissait peu, et un métier qui ne lui convenait pas. A l'instant précis où elle basculait dans le sommeil, elle vit le visage de Ben Gerard. Il avait un petit sourire gentiment moqueur.

— J'arrête.

Scott leva les yeux de son assiette, qui contenait les dernières miettes du dessert. Un gâteau délicieux, point d'orgue du dîner succulent que Morgan avait préparé elle-même, en espérant qu'il le mettrait d'humeur réceptive.

— Tu arrêtes quoi, princesse? L'aérobic, le jogging?

— J'arrête mon travail. Mon dernier texte pour la campagne d'*Adonis* une fois rendu, j'ai frappé au bureau de M. Weinstein et je lui ai donné ma démission.

Scott en resta sans voix. Il la considéra d'un œil fixe, effaré.

— Je sais que j'ai bien fait, Scott! J'étais trop malheureuse dans ce travail. Il ne me convient pas, je te l'ai dit.

— Es-tu devenue folle? chuchota-t-il, atterré.

— Non, pas du tout, je t'assure ! Je...

— Morgan, nous devions nous marier le mois prochain !

— Chéri, tu ne m'as pas écoutée. C'est mon travail que je quitte, pas toi !

— Et comment crois-tu que nous allons nous en sortir ?

— J'ai un peu d'argent en banque. Cela, plus ton salaire, devrait nous suffire, au moins jusqu'à ce que j'aie trouvé autre chose.

— Quel délai te donnes-tu ?

Il s'était levé et arpentait la pièce de long en large.

— Je... ne sais pas exactement. Il me faut un peu de temps pour surmonter tout cela. C'est une transition importante pour moi.

Elle lui attrapa la main au passage.

— S'il te plaît, rassieds-toi. Si nous en discutions devant un café ?

— Morgan, tu as agi comme une étourdie. Tu étais sur le point d'avoir une promotion.

— C'est possible. Il n'y a aucune certitude.

— J'ai déjà établi un budget pour l'année à venir, basé sur l'apport de nos deux salaires !

— C'est vrai ?

— Impossible de nous en sortir si tu quittes ton travail !

— Trop tard. M. Weinstein a accepté ma démission.

— Tu vas retourner le voir, lui présenter tes excuses et lui demander de reconsidérer cette démission.

— Non, Scott. Nous ne pourrons peut-être pas nous acheter tout de suite l'appartement de tes rêves avec une cave pleine de champagne, mais nous nous en sortirons très bien, tu le sais. Et puis, je n'ai pas du tout l'intention d'arrêter définitivement de travailler.

— Tu es complètement irresponsable ! Un simple petit coup de cafard ne justifie pas une telle...

— Je suis responsable ! Pleinement responsable. J'y réfléchis depuis des semaines. Il est essentiel que je découvre qui je suis réellement, pour pouvoir enfin me réaliser.

— Fadaises ! Tu as lu les élucubrations d'un psychiatre à la mode dans un magazine ? Qu'est-ce que ce soudain besoin de te réaliser ? Bon sang, tout allait merveilleusement bien !

— Allait ?

— Morgan, je suis persuadé que tu possèdes un potentiel très riche. J'ai consacré un temps considérable à t'aider à le développer. Tu es brillante, tu es séduisante ; au bureau, tu es appréciée par tous. Et tu m'annonces que tu démissionnes, alors que tu es sur le point de devenir...

— Ce que je ne veux pas être. Scott, tu m'as aidée, c'est vrai, et je t'en sais gré. Mais tout de même, je suis seul juge de ce qui est bon pour moi ! Je ne peux pas vivre toute ma vie à travers tes yeux, être exclusivement et définitivement ta protégée ! Si c'était le cas, je pense que tu te lasserais très vite de moi. Tu m'as dit un jour que je pouvais compter sur ton soutien, tu te rappelles ? C'est maintenant que j'ai besoin de toi, et dans ce sens, Scott.

— Comment pourrais-je te soutenir quand je te vois gaspiller ainsi ton avenir ? Je n'ai pas de temps à perdre, moi, Morgan. Nous n'avons pas de temps à perdre. Nous sommes adultes tous les deux. T'offrir une petite crise d'adolescence en t'interrogeant sur ce que tu voudrais être, c'est très sympathique, mais c'est un peu bizarre, à ton âge, tu ne crois pas ?

Morgan s'enflamma soudain.

— Puisque tu refuses si catégoriquement de me comprendre, peut-être vaudrait-il mieux que nous remettions notre mariage à plus tard !

Les mots résonnèrent de façon métallique à sa propre oreille, comme si c'était quelqu'un d'autre qui les avait prononcés. Ils se dévisagèrent fixement. Scott lui paraissait étranger, tout à coup. Sur sa physionomie, elle ne retrouvait plus rien de familier, qui l'eût réconfortée.

— Oui, dit-il lentement, cela vaudrait mieux, en effet.

Morgan eut un recul, comme sous le coup d'une gifle. Elle ne s'attendait pas à ce qu'il acquiesce si facilement.

— Scott, commença-t-elle d'une voix tremblante, pourquoi m'as-tu demandé de t'épouser? Parce que nos deux salaires formaient un joli total? Parce que tu pensais que je saurais recevoir brillamment tes relations?

— Non, Morgan. Que tu le croies ou non, je t'ai demandé de m'épouser à cause de mes sentiments pour toi. Je pense que nous pouvons nous faire une belle vie ensemble.

Elle secoua lentement la tête.

— Une belle vie? Scott, je crains que sous ces mots, nous ne mettions des choses entièrement différentes, toi et moi.

— Tu es un peu troublée en ce moment, c'est tout.

— Non, ce n'est pas tout!

Elle enleva de son annulaire sa bague de fiançailles.

— Reprends-la. Tu trouveras une autre princesse pourvue d'une plus belle dot.

Il refusa de prendre le bijou.

— Non, non, je ne renonce pas à toi ainsi. Tu as besoin de temps pour te reprendre et te trouver? Qu'à cela ne tienne! Reportons ce mariage! Dans un mois, dans six mois, nous réenvisagerons la situation comme deux adultes que nous sommes et nous planifierons notre avenir.

Morgan lui prit la main, y enferma la bague.

— S'il te plaît, reprends-la. Elle me met mal à l'aise.

— Morgan! Pour moi ce n'est qu'une crise passagère et...

Elle luttait pour refouler ses larmes.

— Oh! Scott, j'ai peur qu'elle ne soit pas passagère...

4.

Scott parti, elle alla jusqu'au téléphone.

— Hallie ? C'est Morgan.

Elle lui raconta tout.

— Très bien, Mary Morgan. Je suis contente de cette prise de conscience. Qu'avez-vous décidé finalement ?

— Oh…

Elle se frotta le front, fatiguée.

— Il est persuadé que tôt ou tard, je reviendrai à sa façon de voir les choses…

— Quelle sottise !

— Il espère que dans quelques mois, je serai calmée et rendue à la raison. Prête à faire une parfaite épouse.

— Donc, de son point de vue à lui, vous êtes toujours fiancés.

— Je lui ai rendu sa bague. Tu sais, je ne vois pas comment cela pourrait s'arranger entre nous.

— Oui, je comprends. Et comment comptes-tu employer ta liberté nouvelle ?

— Je n'en sais rien encore.

— Pourquoi ne viendrais-tu pas?

— Comment?

— Ce serait une détente pour toi, une coupure. Tu pourrais te refaire une santé morale, écrire le roman du siècle...

— Merci bien! Je crois que je suis dégoûtée d'écrire pour toute ma vie!

— On dit ça...

— Je le pense sincèrement, Hallie. Le dernier projet sur lequel j'ai travaillé m'a mise à bout. Je veux bien envoyer ma machine au diable!

— Allons, allons, chérie...

— Je préférerais de loin une activité manuelle, à présent. Tu n'as pas besoin d'une cuisinière? Et une bûcheronne, qu'en dirais-tu?

— Ecoute, justement...

— Formidable! Je prends! Quand dois-je commencer?

— Je sais que tu plaisantes, Mary Morgan, mais le fait est...

Sa voix était devenue sérieuse.

— Figure-toi que j'ai besoin de toi. Et y aurait-il réellement une possibilité que tu viennes?

— Pourquoi, Hallie? Quelque chose ne va pas? s'inquiéta Morgan.

D'aussi loin qu'elle se souvienne, Hallie ne lui avait jamais demandé son aide.

— Je ne voulais pas t'en parler, parce que je savais que tu avais bien d'autres sujets de préoccupations en tête, avec ton travail, ton mariage...

— Oh! ne me fais pas languir! Quelque chose ne va pas à l'auberge? Pascal vous a laissés tomber?

— Non, non, il s'agit de moi.

— Que se passe-t-il?

— J'ai vu le docteur cette semaine. Il semble penser que je vais avoir une grossesse difficile. Il veut que je reste allongée jusqu'à la fin de l'été.

— Oh! Hallie...

— Non, ne t'inquiète pas, mon petit, cela se passera bien. Simplement, il faut que je m'habitue. Tu me connais ; je suis active. Si je m'écoutais, je serais par monts et par vaux, à travailler et à faire du sport, jusqu'à la minute de la naissance.

— Pour cela, je te fais confiance.

— Le Dr Simon me l'a interdit. C'est la mauvaise nouvelle. Il faut que je reste à la maison et que je ne fasse rien, strictement rien. Si je suis sage, et seulement à cette condition, tout ira bien pour le bébé et moi.

— Comment puis-je t'aider ?

— En me remplaçant. En jouant le rôle d'hôtesse à l'auberge, en supervisant tout. Pete a déjà une lourde tâche. Nous employons plusieurs personnes, tu le sais, et deux responsables ne sont pas de trop.

— A partir de quand as-tu besoin de moi ?

— Dès que possible. Mais je voudrais être sûre d'une chose, Mary Morgan : peux-tu réellement me rendre ce service sans que ce soit au détriment de ta propre vie ?

— Ma vie ? Elle est en miettes ! Je n'ai rien à sacrifier. Et puis je suis heureuse de t'être utile. Tu es ma sœur préférée, tu ne le savais pas ? Et enfin, ce sera une excellente coupure pour moi ; l'occasion de me rafraîchir les idées, de prendre calmement des décisions importantes pour mon avenir.

— Oh ! merci, merci ! Tu ne peux pas savoir quel soulagement cela représente pour moi ! Et je serai tellement ravie que tu sois là !

— Tous les après-midi, je monterai te faire la lecture. Dickens, naturellement.

— Oh ! non, pas Dickens ! Nous jouerons au pocker. Tu sais, j'ai peur de devenir folle, à rester allongée tout le temps !

Morgan jeta un coup d'œil à son calendrier.

— Il me faut au moins une semaine pour tout régler avant mon départ. Tu tiendras jusque-là ?

— De savoir que tu vas venir me donnera la patience.

— J'arrive le plus tôt possible, Hallie.

Six jours plus tard, Morgan avait mené à bien tous ses préparatifs de départ. Elle avait trouvé par relations à sous-louer son appartement pour la durée de l'été, ce qui la soulageait de la charge du loyer. Elle avait remballé pour quelques centaines de dollars de matériel neuf que Scott l'avait persuadée d'acheter et avait renvoyé le tout au magasin. Enfin, elle avait jeté quelques effets et quelques livres dans deux valises et avait pris la route qui menait aux Sierras. Elle se sentait libre comme un oiseau.

A l'auberge, ce fut Pete qui l'accueillit.

— Ma chère petite belle-sœur! Sois la bienvenue dans cette maison!

— Bonjour, Pete. Où est-elle?

— Elle fait la sieste. Installe-toi d'abord, ensuite tu pourras monter la voir.

— Bon. Quelle chambre puis-je occuper?

— Nous avons pensé à la cabane d'Abby. Tu y seras davantage chez toi.

— Mais Abby, où est-elle?

— A New York. Elle a un scénario à écrire pour la télévision, elle sera absente au moins six mois.

— Cela ne l'ennuie pas que j'occupe son logement?

— Au contraire, elle sera contente de savoir que quelqu'un veille à ses affaires. Elle avait peur qu'un écureuil ne vienne faire son nid dans ses bouquins.

— Ah! bon. Dans ce cas...

— Allons-y. Donne-moi cette valise. Attention aux flaques!

Il avait plu le matin, et l'atmosphère était humide de brume. Ils empruntèrent le sentier détrempé, chacun portant une valise.

— Zut! J'ai de la boue plein mes chaussures.

Il considéra ses hauts talons d'un air amusé.

— Pas étonnant, ce sont des souliers de bal! Ici, tu n'en auras pas besoin.

Ses escarpins préférés... Ils étaient dans un bel état!

— Depuis un mois, c'est la fonte des neiges, l'informa Pete. Bientôt, le soleil reviendra et tu n'auras jamais vu autant de fleurs! Voilà, nous sommes arrivés.

Nichée dans un bouquet d'arbres à quelques centaines de mètres de l'auberge, la maisonnette d'Abby semblait sortie tout droit d'un conte de Grimm. Bâtie en bois de cèdre, elle était romantique à souhait. Pete ouvrit la porte à l'aide d'une clef.

— Ce que c'est joli! s'écria Morgan.

L'intérieur présentait un espace ouvert sur deux niveaux: pièce de séjour et cuisine, avec la chambre en loggia. Les murs avaient gardé la belle teinte chaude du bois. Pour les rideaux et les sièges, Abby avait utilisé des tissus de tons pastel, très printaniers. A certains indices, on pouvait aisément deviner sa profession: les rayonnages débordaient de livres, le bureau croulait sous les papiers et les crayons de toutes sortes.

— Abby a aussi une machine à écrire, commenta Pete, mais Ben la lui a empruntée la semaine dernière, la sienne ayant rendu l'âme. Il va falloir la lui réclamer. Tu pourrais en avoir besoin.

— Moi? Je n'ai même pas l'intention d'écrire une lettre.

— Alors, je lui dirai qu'il peut la garder.

— Au fait, comment va-t-il?

— Très bien. Les ours ne tarderont pas à sortir de leur hibernation, il est donc très occupé. Il passe son temps en observation dans les bois. Nous ne l'avons pas beaucoup vu ces temps-ci.

— Ah?

— Bon, voyons si tu as tout ce qu'il te faut. Tu as d'autres bagages dans ta voiture?

— Non, seulement quelques gâteries et des fruits pour Hallie.

— Tu n'aurais pas dû.
— Ce n'est rien, j'irai les chercher tout à l'heure quand je serai convenablement chaussée.
— Très bien; je te laisse. Prends le temps de t'installer. Reviens quand tu auras terminé, nous dînerons dans la chambre de Hallie.
— Merci pour tout, Pete.
Hallie fut au comble de la joie de revoir sa sœur. La soirée fut des plus enjouées.
— Oh! je suis contente, je suis si contente! répétait-elle. Finalement, cela va être un été délicieux, Mary Morgan!
Morgan ne rentra chez elle qu'assez tard. Blottie dans le canapé qui faisait face à la cheminée, elle médita sur les événements de la semaine passée. Comme tout était allé vite! Et voici que leur vie à tous entrait dans une période de transition. La sienne, c'était évident, et celle de Hallie et de Pete, avec ce bébé à venir. Ben Gerard assistait à l'éveil de ses précieux ours. La terre entière frémissait à la promesse du renouveau.
Elle se nicha dans sa couverture de mohair, bâilla. La chaleur du feu l'assoupissait. Elle glissa dans le monde des rêves.

Du bout du sentier, Ben Gerard aperçut la faible lueur dans la maisonnette. Tant mieux, cela signifiait qu'Abby était encore debout. Il avait eu l'intention de venir lui rendre sa machine dans l'après-midi, en avait été empêché par un imprévu; une occupation en avait entraîné une autre, et il était maintenant fort tard.
La machine sur l'épaule, il avança précautioneusement vers la cabane, en évitant les flaques. Il savait qu'Abby devait partir d'un jour à l'autre pour New York, et qu'elle voudrait certainement l'emporter. C'était sa machine-fétiche, qui l'avait suivie depuis le collège.
Il frappa à la porte. Abby ne répondait pas. Pourtant il y avait de la lumière à l'intérieur, et la cheminée fumait. Elle

était peut-être passée dire bonsoir à l'auberge. Il hésita. Il allait quand même déposer la machine, qui était lourde. Il prit la clef qu'Abby laissait toujours dans le pot de fleurs, et entra.

A part le craquement des bûches dans la cheminée, tout était silencieux. Ce n'était pas le genre d'Abby de partir en laissant un feu flamber ! Il déposa ses bottes boueuses sur le seuil et traversa la pièce en chaussettes.

C'est alors qu'il la vit.

Un bras derrière la tête, elle était couchée sur le canapé, profondément endormie. La couverture dont elle s'était enveloppée avait glissé jusqu'à ses genoux. Elle était mince, blonde, vêtue d'une espèce de chose aérienne en soie, une rareté ici où l'on ne portait que de solides pyjamas de flanelle. Qui était donc cette fille ?

Comme pour lui répondre, elle se tourna dans son sommeil, offrant son visage à la lueur du feu. Morgan McKenna ! Comme elle était délicieuse, ainsi abandonnée !

Il se rappelait très bien Morgan McKenna. Elle l'avait troublé, elle l'avait frustré aussi, et il avait été soulagé qu'elle parte. Il y avait des mois de cela. Pourquoi diable était-elle revenue, et pourquoi était-elle nichée si sensuellement dans le canapé d'Abby ? Elle rêvait, il le voyait aux mouvements rapides de ses yeux sous ses paupières closes. Un rêve heureux, sans doute, car un sourire charmant jouait sur ses lèvres, et son souffle tranquille soulevait doucement son corsage de dentelle.

Une douleur le traversa. Allons, il était temps de partir. Le feu jetait ses dernières braises. Il allait s'éteindre, elle aurait froid en s'éveillant. Il prit délicatement le bord de la couverture et fit le geste de la remonter.

Les yeux de Morgan s'ouvrirent tous grands. Elle le considéra un quart de seconde, et poussa un cri.

— Morgan ! Du calme, Morgan !

Elle s'assit brusquement en agrippant la couverture, cria encore.

— Morgan, c'est moi, Ben Gerard! Désolé de vous avoir fait peur...

Elle regarda autour d'elle, l'air égaré.

— Que... qu'est-ce que vous faites là?

— Je suis venu rapporter la machine d'Abby. Je...

— Abby est partie pour New York il y a deux jours.

— Déjà? Zut! J'espère que sa machine ne lui fera pas défaut.

Morgan se frotta les yeux.

— Je suis sûre qu'il existe des machines à écrire à New York! Vous m'avez fait horriblement peur! Je m'étais endormie et je rêvais.

— Je sais.

— Comment, vous savez?

— Vous présentiez des mouvements rapides des yeux. C'est à cela qu'on reconnaît qu'un être humain, ou un animal, est en train de rêver.

Elle considéra cette assertion pendant quelques instants.

— Depuis combien de temps étiez-vous là?

— Une minute, peut-être deux.

— Ah oui? Je ne suis pas un ours, moi, figurez-vous! Je ne suis pas ici en observation!

— Calmez-vous, Morgan, je ne voulais pas faire intrusion dans votre intimité.

— Et comment êtes-vous entré?

— Dites-moi, vous êtes toujours aussi hargneuse, au réveil?

— Excusez-moi...

Elle passa une main manucurée dans ses cheveux blonds ébouriffés.

— J'ai eu une longue journée, un trajet plutôt difficile, et le sommeil m'a saisie après le dîner. Vous m'avez fait l'effet d'une apparition! C'est pourquoi j'ai réagi un peu vivement.

— Je comprends. Comment allez-vous, Miss McKenna? Qu'est-ce qui vous amène parmi nous?

— Je suis venue aider Hallie qui a des ennuis avec le bébé qu'elle porte. Je resterai tout l'été.

— C'est fort généreux de votre part. Je croyais que vous aviez un travail passionnant à Los Angeles ?

— Je ne l'ai plus. J'ai démissionné.

Ce fut au tour de Ben d'être ahuri. Il l'avait prise pour un pur produit de la ville, une fille ambitieuse et snob. Interloqué, il la regardait étouffer un bâillement derrière sa main. Il s'aperçut alors qu'elle ne portait plus la bague.

— Et la pierre ?

— Quelle pierre ?

— La dernière fois que je vous ai vue, vous aviez à la main gauche un diamant assez gros pour nourrir toute l'Ethiopie.

Elle retrouva son exaspération.

— Je l'ai rendu.

— Ah bon ? A la suite de quoi ?

— Cela vous regarde ?

— Peut-être. Je ne sais pas encore.

— De nous deux, c'est bien vous le plus formaliste ! Ce diamant était un diamant de taille moyenne et n'avait rien d'exceptionnel. Je ne suis pas aussi superficielle que vous l'insinuez, docteur Gerard.

— Vous avez vraiment rompu avec ce monsieur... comment s'appelle-t-il, déjà ?

— Vous savez ce que vous êtes ?

— Non, dites-le-moi.

— Un fouineur !

— Pour un scientifique comme moi, c'est un compliment. Parfaitement, madame, nous sommes des fouineurs, toujours en train de chercher la raison des choses.

— Ecoutez, il est tard et je n'ai pas envie de discuter avec vous ! Pourquoi n'allez-vous pas rôder autour de l'auberge, afin d'observer les habitudes nocturnes de votre ami Pete ?

— Morgan...

— Scott et moi avons rompu. Vous êtes satisfait ? Maintenant allez-vous-en, laissez-moi seule. J'aimerais pouvoir prendre quelque repos.

Ben remarqua ses joues rouges, ses mouvements saccadés. Apparemment, cette rupture était toute fraîche. Pour sa part, il ne pouvait démêler si cette nouvelle lui était agréable ou désagréable. Dans son esprit, Morgan McKenna n'était pas une femme disponible, et il s'était interdit de penser à elle. Il préférait qu'elle soit loin, justement parce qu'il la trouvait séduisante. Le problème, c'était qu'elle l'attirait, malgré lui. S'il avait eu un peu de bon sens, il l'aurait prise au mot et l'aurait laissée sans attendre. Mais il la regardait à la lueur du feu et il n'était pas sûr de vouloir avoir du bon sens.

Morgan avait ramassé un morceau de papier journal qui traînait, en avait fait une boulette qu'elle avait jetée dans le feu. Elle la regardait brûler pensivement. Ce Ben l'exaspérait avec ses questions sans-gêne, de celles qu'elle n'osait même pas se poser à elle-même. Et son esprit donc ! Mais dans le même temps, elle ne pouvait s'empêcher de se remémorer la manière dont il l'avait embrassée, un matin d'hiver, et cela l'irritait plus que tout.

Dans sa hâte à quitter Los Angeles pour être au plus vite près de Hallie, elle avait à peine envisagé l'éventualité d'une telle rencontre. Elle imaginait bien qu'elle le reverrait un jour ou l'autre, mais certainement pas le soir même.

Elle n'imaginait surtout pas qu'elle retrouverait intact ce courant qui passait si intensément entre eux.

Le silence régna quelques instants. Elle risqua un coup d'œil de son côté. Il n'avait pas bougé. Il la contemplait, le regard noir et fier. Elle n'avait pas oublié ce regard.

— Morgan, je vous prie de m'excuser si...

Soudain, un bruit retentit. Un fracas de verre brisé et de métal froissé. Cela se passait non loin de la cabane.

Ben réagit instantanément. Il courut à la porte, enfila ses

bottes; tirant une lampe électrique de sa poche, il se rua dehors et disparut dans l'obscurité.

— Ben, attention!

L'humidité glacée pénétra dans la pièce. Encore ce bruit de métal écrasé. Oubliant qu'elle était très légèrement vêtue, Morgan s'élança sur le sentier à la suite de Ben, guidée par l'étroit faisceau lumineux de la lampe.

Elle parvint à l'endroit où elle avait rangé sa voiture et s'immobilisa, saisie. Une ombre énorme était penchée sur sa petite Fiat. Ben braquait sur elle le faisceau de sa torche, pour l'aveugler. Il s'agenouilla, ramassa un gros caillou et le lança dans la direction de l'animal.

— Va-t'en, Lily! cria-t-il. Allez, va-t'en!

Offensé, l'animal laissa tomber quelque chose, tourna le dos et s'enfonça dans les bois.

Ben se pencha sur la voiture. Morgan l'entendit jurer. Relevant l'ourlet de son peignoir, elle le rejoignit en courant.

— Morgan! Vous ne devriez pas être ici! Rentrez vite dans la cabane!

Alors, elle vit l'état de la Fiat. Sa voiture qui avait tout juste trois mois!

— Oh! non...

La capote de toile était arrachée, la vitre de la portière droite brisée, la portière en accordéon.

— Regardez! Elle est complètement abîmée!

— Le propriétaire de ce véhicule n'a que ce qu'il mérite! fulmina Ben. Avoir la bêtise de laisser des provisions sur le siège avant! Il était normal que cela attire l'ours!

— Ben! C'est *ma* voiture! Le propriétaire, c'est moi! Que vais-je faire maintenant? Regardez tout ce verre cassé, et dites-moi...

— Vous? Cette voiture est à vous?

— Mais oui.

— Vous y avez laissé de la nourriture en vue?

— Heu... oui. J'avais l'intention de revenir chercher ce paquet, et puis j'ai oublié...

— Morgan! C'est la dernière des stupidités dans cette région!

— Je ne vois pas ce que cela a de si dramatique, ni pourquoi vous le prenez sur ce ton! C'est moi qui en subis les conséquences, non? C'est ma voiture qui a été endommagée, et par ce vieil ours pelé! Dans l'histoire, c'est moi la victime, que je sache.

Il lui lança un regard furieux.

— Cervelle d'oiseau! maugréa-t-il. Qu'est-ce qu'il y a dans votre jolie tête, un courant d'air?

— Moi, une cervelle d'oiseau? Et cet ours, qu'est-ce qu'il est, d'après vous? Un génie méconnu?

— Lily est un animal très intelligent. En agissant ainsi, elle faisait son travail, qui est de chercher sa nourriture. Vous en revanche, en laissant des vivres dans un endroit inadéquat, vous contribuez à la dégénérescence des ours. Une fois que ces animaux ont réussi à s'approprier de la nourriture qui provient des touristes, ils récidiveront encore et encore; et quand un ours cause trop de problèmes et occasionne trop de dégâts, on finit quelquefois par l'abattre.

— Oh, mon Dieu! J'ignorais totalement cela. Comment aurais-je pu le savoir?

— De toute façon, le mal est fait. Par votre négligence, vous avez mis l'avenir de Lily en péril.

— C'est terrible, Ben, je me sens affreusement coupable.

— Il y a de quoi. Votre sale voiture est probablement couverte par une assurance quelconque. Elle peut être remplacée. Mais Lily est une créature vivante, unique! Ici, dans ces bois, elle est chez elle. C'est sa maison.

— Je suis désolée, vraiment désolée! Que voulez-vous que je fasse? Que je parte?

— Ma foi, ce ne serait pas une mauvaise idée.

Elle le fusilla du regard. Puis elle éternua deux fois.

— Allons bon! Il ne vous suffit pas de pervertir Lily à

coups de friandises, vous voulez mourir de pneumonie ! Venez.

Avant qu'elle sache ce qui lui arrivait, il l'avait soulevée de terre et basculée sur son épaule.

— Allons-y !

Il emprunta d'un pas décidé le chemin qui menait à la cabane.

— Ben ! Lâchez-moi tout de suite !

Il ne prêta aucune attention à ses objurgations. Devant sa porte, il la déposa sans plus de cérémonie.

— Feriez mieux de rentrer vous changer en vitesse, grommela-t-il. Je vous verrai demain.

— Ce ne sera pas nécessaire !

Elle s'engouffra à l'intérieur, lui claqua la porte au visage et tira le verrou avec bruit.

5.

Une matinée ensoleillée de fin juin...

— Hallie, le garage vient de m'appeler.

— Qu'est-ce qu'ils disent ?

— Ma voiture est prête.

— Epatant !

— Tu crois que tu pourras te passer de moi quelques heures aujourd'hui ? Les Winkler s'en vont et ils m'ont proposé de m'emmener jusqu'à la ville. Je pourrais ramener ma voiture.

— Je t'en prie, mon petit, vas-y ! Depuis trois semaines que tu es arrivée, tu t'es montrée si dévouée que j'ai honte d'être allongée à ne rien faire !

Elle baissa les yeux sur son ventre arrondi et émit un soupir comique.

— Je ne vois pas pourquoi tu aurais honte, vraiment ! Je suis ici pour t'aider.

— Oui, mais je veux que tu t'amuses aussi de temps en temps, Mary Morgan ! Pourquoi ne prendrais-tu pas carrément ton après-midi, histoire d'aller voir un film en ville ?

— Non, je n'y tiens pas.

— J'ai une meilleure idée. En revenant, tu t'arrêtes chez Ben Gerard pour faire la paix.

— Tu es folle? Si tu avais entendu tous les noms dont il m'a gratifiée!

— Il était certainement très en colère, et maintenant, cela lui est passé.

— Alors j'attends ses excuses!

Hallie haussa les épaules.

— Ecoute, Mary Morgan, ne sois pas si susceptible. C'était un malheureux accident, mais ce n'est pas une raison pour que vous restiez brouillés!

— Nous ne sommes pas brouillés! Simplement, il vaut mieux que nous restions à l'écart l'un de l'autre.

— Hmm.

— Quoi? Qu'est-ce que cela signifie?

— Que c'est dommage. Tu es une séduisante célibataire et il est un séduisant célibataire. Il semble tout indiqué que vous recherchiez pour l'été la compagnie l'un de l'autre. Qui sait?

— Hallie McKenna Brundin, as-tu fini de jouer les marieuses?

— Pourquoi pas? C'est une bonne occupation pour moi, qui suis obligée de rester allongée toute la journée sans rien faire! Et puis, ce peut être bon pour vous deux.

— Je viens de rompre mes fiançailles, je n'ai aucune envie de m'engager ailleurs.

— Bah!

— Si je devais fréquenter quelqu'un, ce ne serait pas Ben.

— Pourquoi, il ne te plaît pas? Tu es difficile! Avec ses profonds yeux noirs...

— Arrête, Hallie! Il n'en est pas question. Je n'éprouve aucune sympathie particulière pour Ben Gerard et c'est réciproque, tu peux me croire. Si je m'aventurais jusque chez lui, il est probable qu'il me tirerait dessus à vue. Morgan McKenna, accusée de corrompre les ours.

Hallie rit de bon cœur.

— C'est vrai qu'il adore ces pauvres vieux ours. Trop sans doute. Tu devrais aller le charmer un peu, le ramener dans le monde des humains.

— N'y compte pas! Plutôt...

— Bonjour tout le monde!

C'était Pete, enjoué comme à son habitude.

— Que se passe-t-il, Morgan? Tu as l'air fâchée?

— Non, non, pas du tout. C'est Hallie qui devient un peu gâteuse, simplement.

— C'est vrai, Pete, je deviens folle! cria Hallie. Je me sens si bien ces temps-ci! Si je descendais un tout petit peu? S'il te plaît, Pete!

— Hallie, tu sais ce qu'a dit le médecin.

— Qu'a-t-il dit? intervint Morgan.

— La dernière fois qu'il a vu Hallie, le Dr Simon était très inquiet.

— Quand était-ce?

— Il y a deux jours. Il pense que Hallie s'entête contre toute raison.

— Mais pourquoi?

— Il dit que c'est une folie dans son état de rester ici, éloignée de tout. Il lui conseille de s'installer en ville pour être près de l'hôpital.

— Pete, ne recommence pas!

— Dites, tous les deux, coupa Morgan, j'aimerais bien comprendre.

— C'est un complot entre Pete et le Dr Simon, expliqua Hallie. Ils veulent que je quitte la montagne, que j'emménage en ville dans un appartement triste où j'aurai pour toute compagnie une infirmière sinistre que je ne connaîtrai pas. Non, je refuse.

— Hallie...

— Tout ira très bien ici! Je resterai au lit à regarder la télévision. Je tricoterai six douzaines de chandails, je ferai tout ce qu'on voudra, c'est juré!

— Je viendrais te voir tous les jours, Hallie, dit Pete, visiblement contrarié.

— Ecoute, ici au moins, je suis encore utile à quelque chose. J'aide Pascal à équilibrer les menus, je tiens les livres de comptes. Si je m'en vais, je ne supporterai pas de me décharger de toutes mes responsabilités sur toi et Morgan.

— Hallie, en ce moment, tu te dois surtout à ton enfant, s'interposa Morgan. Ne te tourmente pas pour la bonne marche de cette maison. Je suis parfaitement capable d'équilibrer un menu.

Hallie ferma les yeux, l'air buté. Morgan se rappelait à quel point sa sœur savait se montrer entêtée.

— Je me sens en pleine forme, insistait Hallie. Je ne me suis jamais sentie mieux. A mon avis, le Dr Simon a des idées un peu démodées, et vous vous alarmez bien plus qu'il n'est nécessaire. Bon, parlons d'autre chose. Pete, tu ne trouves pas Morgan particulièrement jolie, aujourd'hui ?

— Hallie...

— Beaucoup trop jolie pour rester ici. Je tentais justement de la persuader de prendre sa journée.

— Morgan est libre d'agir comme elle l'entend. Je montais l'avertir que les Winkler étaient sur le départ. Mais Hallie, il faut que nous parlions de ta santé tôt ou tard, et...

— Alors, plus tard. Une autre fois. Filez, tous les deux. Embrassez les Winkler pour moi. Dites-leur que nous espérons les revoir bientôt !

— Tu penses qu'il est essentiel qu'elle s'installe en ville, Pete ? s'enquit Morgan quand ils furent sortis.

— Absolument. Elle a une grossesse à haut risque.

— Que peut-il lui arriver ? Réponds-moi franchement.

— Une hémorragie peut se produire à tout moment. Elle peut perdre le bébé, et sa propre vie serait en danger. C'est pourquoi il est préférable qu'elle habite à quelques minutes de l'hôpital.

— Il faut qu'elle se résigne à y aller.

— Oui. Mais comment? Je ne peux pas la faire partir de force! Ce doit être avec son accord.

— Malheureusement, elle a la tête dure.

— Oh oui! Tu la connais, elle tient plus que tout à son indépendance. Je crois qu'elle supporte difficilement l'état où elle se trouve actuellement, même vis-à-vis de ceux qui l'aiment le plus.

— Il faut que nous parvenions à la convaincre.

— Parle-lui, Morgan. Moi, elle ne m'écoute pas.

— C'est d'accord, je lui parlerai dès mon retour.

Au garage, sa voiture l'attendait comme promis. Elle paya, puis décida de rentrer à l'auberge sans attendre. Elle voulait avoir dès que possible cette conversation avec Hallie. Elle tenait en particulier à la convaincre qu'elle était capable de diriger la maison en son absence.

De fait, elle avait pris goût à son nouveau rôle. Elle aimait le contact avec les gens, l'accueil chaleureux de la maison, l'atmosphère détendue de l'auberge. Certes, cela la changeait radicalement de la compétitivité forcenée qui régnait chez *Weinstein, O'Connor et Associés*. Mais pour le moment, cela lui plaisait bien.

De temps en temps pourtant, les plaisirs de la grande ville lui manquaient. Elle n'avait pas l'habitude de se lever si tôt, de se coucher si tôt non plus, après des soirées paisiblement désœuvrées. Elle avait souvent taquiné Scott à propos de sa frénésie de citadin, de son amour du shopping, des dîners, des sorties; en vivant à la campagne, elle découvrait qu'elle aussi était très attachée au mode de vie urbain. Elle regrettait les concerts de jazz qu'elle allait manquer, elle regrettait les plaisirs de la civilisation.

Heureusement, il y avait des compensations. Chaque matin, elle s'éveillait au chant des oiseaux. Elle avait troqué ses hauts talons contre des espadrilles. Et, un jour prochain, elle se proposait de partir à la découverte des magnifiques espaces vierges qui l'environnaient de toutes parts.

Sur la route du retour, elle passa près de la maison de Ben

Gerard, traversa des forêts de cèdres et de sapins, suivit le cours de torrents capricieux. Ce paysage était si beau que le trajet lui parut très court jusqu'à l'auberge.

Elle rangea sa voiture et resta médusée. Là, sur la pelouse, un gros hélicoptère noir était posé. Un hélicoptère, ici ? Fallait-il emmener quelqu'un d'urgence ? Hallie !

Elle jaillit de sa voiture, courut jusqu'à la maison, monta l'escalier quatre à quatre. Elle ouvrit en trombe la porte de la chambre.

— Hallie ! ?

Quatre visages ébahis se tournèrent vers elle.

— Mary Morgan ! Que t'arrive-t-il, mon petit ?

— Hallie ! Tout va bien ?

— Mais oui. Nous étions seulement un peu ennuyés parce qu'il nous manquait un quatrième pour le pocker. Comme tu n'étais pas là, nous avons débauché Pascal.

Autour du lit étaient assis le chef français, Pete, et, en jean et chemise écossaise, plus superbe que jamais Ben Gerard... Les yeux de Morgan s'agrandirent encore. Elle reprenait son souffle.

— Hallie, il y a un hélicoptère sur la pelouse !

— Je sais ! C'est formidable, non ? Ben vient d'obtenir sa licence et il est venu me proposer une petite promenade, histoire de rompre un peu la routine. Naturellement, Pete n'a pas voulu.

— Naturellement, murmura Morgan qui sentait le regard noir de Ben fixé sur elle.

— Tu prends une chaise et tu te joins à nous ? proposa Hallie. La partie est passionnante.

— Tu dis qu'elle est passionnante parce que tu gagnes ! s'écria Ben en riant. Tu m'as presque vidé les poches !

— C'est vrai, pouffa Hallie, je leur ai extirpé vingt-trois dollars et cinquante cents !

— Dont dix dollars à moi tout seul ! gémit Ben. Tu devrais ouvrir un compte d'épargne à ton héritier. Le temps qu'il arrive, tu auras amassé de quoi l'envoyer au collège !

— Bon, une dernière partie ! Je vous donne une chance de vous refaire !

— Ah non ! Pour moi, c'est terminé ! s'indigna Ben.

— Ce n'est pas possible, madame, s'excusa Pascal, il faut que je m'occupe de la cuisine.

— Alors tant pis... Mais tu restes dîner, Ben, j'y tiens absolument !

C'est bien aimable à toi, Hallie, merci infiniment, se dit Morgan. Cette Hallie ! Parce qu'elle était enceinte et que tout le monde s'inquiétait pour sa santé, elle croyait pouvoir se mêler des affaires de ses proches ! Morgan soupira. Son regard tomba sur la machine infernale qu'on voyait par la fenêtre.

— A propos, Ben, disait Hallie de sa voix la plus suave, je me demandais si...

— Oui, chef ?

— Puisque tu t'es dérangé pour venir jusqu'ici, et que Pete ne veut pas me laisser monter dans ton engin, si tu emmenais Morgan se promener à ma place ?

— Hallie ! suffoqua Morgan.

— Elle a besoin d'une petite diversion ! Voici trois semaines qu'elle travaille comme une folle sans s'accorder un moment de loisir. Tu ne pourrais pas la promener un peu ? Tu as tout le temps avant de dîner.

Ben jeta à Morgan un regard aigu.

— Pour ma part je ne vois pas d'impossibilité...

— Non ! lança Morgan. Hallie, vraiment, tu exagères !

— Je ne trouve pas.

Hallie eut un sourire angélique.

— Si c'était le cas, Ben me le dirait, n'est-ce pas Ben ?

Il se leva souplement.

— Qu'en pense la principale intéressée ? Aimeriez-vous monter là-haut, Morgan ?

— Eh bien je... je ne sais pas...

— Vous avez peur ?

— Non, absolument pas !

— Alors c'est parfait, s'écria Hallie, tout est arrangé! Bonne promenade, tous les deux! Quand vous reviendrez, vous me raconterez tout.

C'était une de ces journées lumineuses dont la Sierra avait le secret. Le ciel était incroyablement bleu. Ben avait repéré une prairie propice à l'atterrissage, et avait amorcé la descente. Il jeta un coup d'œil à sa compagne pour juger de l'effet produit.

Morgan ne respirait plus. Elle avait les yeux écarquillés, les doigts crispés sur son siège. Elle avait beaucoup aimé le vol, elle voulait bien le reconnaître, mais la descente l'épouvantait. Elle avait éprouvé la même sensation chaque fois qu'elle était montée en avion.

Ben sourit.

— Détendez-vous, Morgan. J'ai passé avec succès toutes les épreuves de pilotage. Je ne vais pas nous tuer.

— Je me détendrai, promit-elle d'un filet de voix, dès que nous aurons atterri. Ne vous moquez pas de moi, docteur Gerard.

— L'idée ne m'en viendrait pas.

L'appareil se posa enfin sur l'herbe. Ben coupa le moteur. Les pales achevèrent leur course. Le soulagement de la jeune femme était visible. Ben se glissa hors de son siège et l'aida à sortir de l'hélicoptère.

— Vous voyez, triompha-t-il, je vous l'avais bien dit, nous sommes sains et saufs!

Elle fut contente de pouvoir s'appuyer sur son bras.

— Oh! je n'ai pas vraiment eu peur. Je sais prendre des risques, moi aussi. J'emprunte Hollywood Boulevard aux heures de pointe. Toute seule.

— Ah!

— C'est la première fois que je monte dans un hélicoptère, et après tout, qui m'assure que vous êtes aussi bon pilote que vous le dites? Vous n'avez pas énormément d'expérience!

— C'est bien possible, acquiesça-t-il aimablement, mais pour le moment, je suis le seul pilote que vous ayez sous la main, Miss McKenna. Sans moi, vous seriez incapable de rentrer. Aussi, je vous conseille d'être plus circonspecte dans vos affirmations.

Morgan se rembrunit, lâcha son bras. Elle regarda autour d'elle.

— Où sommes-nous ?

— Du haut de cette colline, vous aurez une vue plongeante sur la chaîne du Great Western.

— C'est vrai ?

— Oui, madame. Une petite marche, et nous y sommes. Vous vous sentez d'attaque ?

Elle enfonça dans ses poches ses mains qui tremblaient encore, releva résolument le menton.

— Je vous suis.

Qu'est-ce qui avait pu pousser Hallie à provoquer ce genre de situation ? se demandait-elle en avançant dans l'herbe épaisse, parsemée de mille fleurs sauvages. Elle devait forcer le pas, car Ben marchait vite. Elle n'avait rien en commun avec ce garçon, absolument rien ! Leurs univers étaient diamétralement opposés. Lui était un amoureux de la nature, elle un oiseau des villes. Il vivait en se fiant à ses instincts, elle s'efforcait de conduire sa vie selon un schéma rationnel. Il la jugeait mijaurée et peureuse, mais comment s'accommoderait-il de la vie urbaine, où la lutte était quotidienne ?

Une abeille bourdonnait de façon insistante autour de sa tête. Elle ferma les yeux, secoua ses cheveux, espérant que cela suffirait à l'éloigner. Cela lui valut de perdre la cadence ; elle trébucha dans un creux, et se tordit la cheville.

— Aïe !

Ben lui jeta un coup d'œil par-dessus son épaule. Un coup d'œil légèrement agacé, semblait-il.

— Vous vous êtes fait mal ?

— Non, non, pas du tout !

En fait, elle ressentait une douleur cuisante, mais elle ne l'avouerait pas. Il n'était pas question qu'elle lui fournisse matière à sarcasmes.

Il se contenta apparemment de cette affirmation, car il reprit sa marche sans même attendre qu'elle fût parvenue à sa hauteur.

En boitillant derrière lui, Morgan se livrait à des réflexions rageuses. Il aurait été bien mieux tout seul! Il n'avait aucunement besoin de compagnie! Il préférait sans aucun doute celle de ses ours, et le souvenir de sa perfection de femme! D'après ce qu'on lui en avait dit, cette Mary Gerard devait avoir toutes les qualités; elle était certainement aussi aventureuse et intrépide que lui, une véritable Amazone! Elle, elle ne devait sûrement pas s'émouvoir d'une abeille, ni se tordre la cheville dans un trou! Et elle avait une trop grande bouche!

Est-ce que sa femme lui manquait? Est-ce qu'il se considérait encore marié, d'ailleurs? Hallie avait dit qu'il lui était arrivé de sortir avec d'autres femmes depuis la mort de Mary, mais qu'il n'avait jamais paru s'attacher à aucune. Peut-être comparait-il chaque femme qu'il rencontrait à la femme idéale, celle qu'il avait perdue?

— Hé, McKenna!

Il s'était arrêté et mâchait pensivement un brin d'herbe. Elle le rejoignit.

— Il y a une chose dont j'ai eu plusieurs fois envie de vous parler.

Elle prit son air le plus hautain.

— Ah oui? Quoi donc?

— Vous êtes écrivain, non?

— Si l'on peut dire. J'écris des textes publicitaires pour des journaux, des revues...

— Vous avez déjà essayé d'écrire autre chose?

— Non, pas vraiment. Pourquoi?

— Je connais un éditeur qui publie une revue sur la nature.

Il nomma la revue.

— Il me poursuit pour que je lui écrive un article sur les ours de Sequoia Park.

— Eh bien, faites-le !

— Je déteste m'asseoir devant une machine à écrire ! Question de tempérament. Rédiger un simple rapport de routine est une torture pour moi.

La tête penchée, elle l'examina avec curiosité.

— Seriez-vous en train de me demander mon aide ?

— Oui.

Il eut une mimique fataliste.

— J'ai pensé que je pouvais toujours essayer.

Elle éclata d'un rire bref.

— Vous, alors, vous ne manquez pas d'audace !

— Je vous demande pardon ?

— La dernière fois que je vous ai vu, vous vous êtes montré avec moi d'une rare grossièreté, faut-il vous le rappeler ? A vous entendre, j'étais la dernière des incapables, vous m'avez traitée de tous les noms...

— Et vous êtes encore fâchée ?

Il la considérait avec étonnement.

— En plus, vous m'avez malmenée ! Vous m'avez jetée sur votre épaule comme un sac de pommes de terre. Vous avez regardé cet ours démolir ma voiture et vous n'avez même pas daigné ensuite téléphoner ou vous manifester d'une manière quelconque pour prendre des nouvelles.

— Vous m'avez dit que ce n'était pas la peine ! Vous m'avez claqué la porte au nez !

— Ce n'est pas une excuse !

— Morgan... !

— Si vous voulez de l'aide pour votre article, demandez-la donc aux génies de l'endroit — votre amie Lily, par exemple !

Il la dévisagea si intensément qu'elle craignit un instant qu'il ne se livre à quelque violence.

— Que voulez-vous, à la fin ? lança-t-il. Des excuses ?

— Ça me paraîtrait tout indiqué.

— Tout cela est arrivé par votre faute, et vous le savez très bien ! Enfin, puisque vous y tenez tant... Bon, je vous présente mes excuses... pour la voiture.

— Pour la voiture ? Et pour moi ? Regrettez-vous de m'avoir abreuvée d'insultes, de m'avoir rudoyée ?

— Pas exactement.

— Dans ce cas...

Elle lui tourna le dos et commença à gravir la colline.

— Je suis au regret de ne pouvoir vous apporter l'aide que vous me demandez pour votre article.

— Hé là, attendez-moi !

Ce fut son tour de courir derrière elle.

— Cessons de nous disputer, Morgan ! Parlons sérieusement, voulez-vous ?

— Je suis on ne peut plus sérieuse.

— Morgan, je vous en prie...

Il était plus près de désespérer qu'il ne voulait l'admettre. Il avait maintes fois essayé d'écrire ce texte. Ces dix derniers jours, il s'était assis chaque soir à sa table de travail, plusieurs heures durant. Son obstination n'avait produit qu'un fatras compliqué, imprécis, illisible.

— Morgan, je suis dans l'embarras. S'il vous plaît, je voudrais que vous m'écoutiez.

Elle atteignit la crête avant lui, s'installa sur un grand rocher plat.

— Jolie vue, commenta-t-elle. Comment appeliez-vous ce site ?

Il était venu s'asseoir à côté d'elle.

— La chaîne du Great Western.

— Absolument fascinant !

— Vous êtes une pimbêche et une chipie ! Vous le saviez ?

— Encore des insultes ?

— Bon, bon, ça va, je retire tout ce que j'ai dit. Vous êtes une personne adulte, intelligente, compétente. J'aimerais utiliser vos talents. Je vous payerai, bien entendu. Nous partagerons mes honoraires.

— Eh bien, quelle générosité soudaine ! Dans quelle sorte d'embarras vous trouvez-vous ?

— Il y a quinze jours environ, j'ai eu la visite de Dave, mon ami éditeur. Nous avons passé toute une soirée à bavarder en buvant du whisky... Vers quatre heures du matin, j'étais... un peu éméché, et j'ai signé le contrat par lequel je m'engageais à fournir l'article.

— Oh non ! Vous avez signé un contrat ?

— Hélas oui.

— Aïe ! Et quel délai avez-vous ?

— Deux semaines à compter d'aujourd'hui. Je dois remettre cinq mille mots.

— Ben ! Ce n'est pas un article, c'est *Guerre et Paix* !

— Vous, vous pouvez l'écrire.

— Non, je ne peux pas ! D'abord, je n'ai jamais écrit que quelques paragraphes à la fois. Je fais dans le style condensé, incisif. Et puis, je ne travaille plus dans ce secteur.

— Morgan...

— C'est vrai. Je suis ici pour aider Hallie et Pete, et ce travail m'accapare entièrement. Ne pouvez-vous demander cela à quelqu'un d'autre ?

— Vous êtes le seul écrivain que je connaisse. Abby est à New York...

— Je compatis sincèrement, Ben, mais je ne peux pas vous aider. Je n'ai pas le temps, et j'ignore tout des ours !

— Oh ! Quant à cela, je possède l'information nécessaire ! C'est la mise en forme qui me pose un problème. Allez, Morgan...

Il lui saisit la main.

— Dites oui.

Elle sentit sa détermination fléchir... un peu. Il était si tenace, si diablement séduisant aussi, avec sa chemise écossaise ouverte et ses cheveux qui lui tombaient sur le front !

Elle essaya un compromis.

— Vous savez, ce n'est pas un travail si difficile. Ecrivez le premier jet et je le corrigerai.

— C'est impossible, je ne peux pas écrire trois phrases cohérentes à la suite. Je suis nul pour l'écriture. J'ai besoin de vous, Morgan.

Il avait l'air réellement paniqué ! *Comme c'est drôle,* pensa Morgan. *Cet homme qui pilote un hélicoptère dans des passes montagneuses, qui affronte sans peur les situations les plus dangereuses et vit en bonne entente avec les ours, cet homme est intimidé par une feuille de papier blanc !* Elle, c'était tout le contraire. Elle avait peur d'un tas de choses, mais elle avait confiance en son talent littéraire.

Elle regarda la main qui serrait la sienne. Ce contact la troublait. Comment vivrait-elle la proximité de Ben ? Travailler avec lui, le voir régulièrement, y était-elle prête ? Etait-ce sage ?

— Il faut que j'y réfléchisse, Ben, murmura-t-elle. Pour l'instant, je ne sais que vous répondre.

Il retira sa main.

— D'accord, réfléchissez. Vous êtes confortablement installée sur ce rocher ?

— Oui. Pourquoi ?

— Parce que nous allons y rester jusqu'à ce que vous ayez dit oui.

— Comment ?

— Ainsi que je l'ai déjà dit, c'est moi le pilote. Sans moi, vous ne pouvez revenir à la civilisation.

— Vous plaisantez ! Vous imaginez-vous que vous pouvez me contraindre à écrire cet article ?

— Non, j'attendrai que vous ayez pris une décision positive, c'est tout.

— C'est ridicule !

— Je ne veux que votre promesse. Promettez et je vous ramène.

— Vous êtes fou !

— Je suis dans l'impasse. Je n'ai pas le choix.

— Eh bien, ne comptez pas m'extorquer mon aide de cette façon ! Jamais ! Je ne travaille pas avec les *machos*.

— Pas de flatteries. Acceptez, c'est tout.

Elle croisa les bras, résolue à ne plus lui adresser la parole. Il n'allait pas la garder là toute la nuit !

Les minutes passèrent. La brise agitait les feuilles, un oiseau s'élança dans le ciel.

C'est alors qu'apparurent les ours.

Une femelle et ses deux petits qui avançaient dans le sous-bois.

— Regardez, chuchota-t-elle. Vous les connaissez ?

— Non, je ne crois pas. Nous sommes loin du Parc.

— Que fait la mère ?

— Elle leur apprend leur métier d'ours — comment trouver leur nourriture, comment se garder du danger...

Les oursons étaient encore très petits. Il apparut bientôt que la mère cherchait à les éloigner en les menant vers le bas de la pente. Morgan émit un soupir de soulagement.

— Ils sont drôlement malins.

— Dans le Parc, raconta Ben, quand les oursons font leur apparition, tout le monde veut les cajoler. Nous avons beaucoup de peine à dissuader les touristes de les nourrir.

— Je veux bien le croire.

— Cela déroute complètement les pauvres animaux. Imaginez un peu : c'est l'été, vous êtes un bébé, tous les humains que vous rencontrez poussent des exclamations attendries et vous offrent des biscuits et du chocolat. A la fin de la belle saison, vous disparaissez pour hiberner. Au printemps suivant, vous êtes un adolescent de deux cents livres. Vous avez terriblement faim de gâteaux, mais si vous vous approchez de ceux qui furent si généreux l'année précédente, ils se sauvent en criant : « Au secours, je suis attaqué par un ours ! »

— C'est de cette façon que Lily est devenue une terreur ?

— C'est vraisemblable.

— Je suis navrée, Ben.

— De quoi?

— De ce qui est arrivé avec elle l'autre nuit.

— Vous ne saviez pas. Le public a besoin d'être éduqué. C'est une partie de mon travail.

Il désigna d'un geste passionné les montagnes, les forêts, ce qui les entourait.

— J'essaie de sauver tout cela, de préserver un coin de cette terre avant que nous ne l'ayons détruite par notre négligence, notre ignorance, notre cupidité...

Morgan se rendit compte qu'elle était émue. Malgré elle, elle s'entendit annoncer:

— C'est d'accord. Je le ferai.

— Quoi donc?

— Votre sale article.

— Quoi, c'est vrai?

— Eh oui! fit-elle, mi-résignée, mi-amusée.

Elle ne savait pas résister aux enfants, aux petits animaux et aux hommes qui se sentaient investis d'une mission.

— Ne croyez pas que je réfléchisse sous la pression. J'accepte uniquement parce que je veux faire cet article.

Le visage de Ben s'épanouit de joie et de soulagement.

— C'est magnifique!

Elle constata une fois de plus qu'il était terriblement séduisant. Il lui plaisait, pourquoi le nier? Un jour ou l'autre, il faudrait qu'elle mette au clair ses sentiments pour Ben Gerard. Si elle en avait le courage...

Ils regagnèrent l'hélicoptère. Alors que l'auberge était en vue et qu'il amorçait la descente, Ben cria:

— Regardez! Pete nous attend sur la pelouse.

— Quelle heure est-il? Nous sommes en retard pour le dîner?

— Il fait de grands gestes. Je me demande si...

— Mon Dieu! J'espère qu'il n'est rien arrivé de...

— Tenez-vous bien, je me pose.

L'hélicoptère atterrit en douceur. Pete, qui s'était mis à

l'abri durant la manœuvre, arriva en courant et frappa impatiemment à la porte de l'habitacle, que Ben se hâta d'ouvrir.

— Qu'y a-t-il, vieux frère ? Attends une seconde, que je m'extraie de ce...

— C'est Hallie, s'écria Pete, haletant. As-tu encore assez de combustible pour nous emmener à l'hôpital ?

6.

Les heures qui suivirent furent cauchemardesques. Ben et Pete transportèrent Hallie dans l'hélicoptère et s'envolèrent immédiatement pour l'hôpital. Il n'y avait pas assez de place pour Morgan ; elle partit de son côté en voiture.

Sans cesse, elle revoyait le visage livide de sa sœur, son expression de souffrance aiguë. Elle avait glissé, lui expliqua rapidement Pete, alors qu'elle sortait de son bain. Cet accident mineur s'était révélé dramatique dans son état.

Morgan s'efforçait de rester vigilante, comme l'exigeait la conduite sur ces petites routes de montagne. Elle priait. *Mon Dieu, ne lui enlevez pas son bébé. Mon Dieu, ne nous enlevez pas Hallie!* L'émotion la prit à la gorge. Elle s'aperçut qu'elle conduisait de plus en plus vite, de plus en plus nerveusement. Elle s'arrêta quelques instants sur le bord de la route pour essayer de retrouver son calme.

A l'hôpital, ce fut pire encore. Le Dr Simon, alerté par un appel de Pete, était déjà auprès de sa patiente quand Morgan arriva. Son intervention rapide avait permis de stabiliser la situation. Pour le moment.

Un Pete épuisé vint s'asseoir dans la salle d'attente avec Ben et Morgan.

— Dieu merci, le drame est évité pour l'instant, soupira-t-il. La question est maintenant : pourra-t-elle se maintenir pendant les prochaines heures ?

— Puis-je voir Hallie ? demanda Morgan.

— Non, plus tard, mon petit.

Il fallait attendre. Ils passèrent le reste de la nuit à boire du thé en bavardant pour juguler leur angoisse. Aucun d'eux ne songea à dormir. Ben avait fait appel à un collègue pour qu'il ramène l'hélicoptère à sa base. Ainsi, il pourrait rester avec ses amis. Il se tourmentait beaucoup pour Hallie, c'était visible. Morgan fut sensible à sa compassion, à l'amitié dont il entourait Pete.

Vers sept heures du matin, on leur proposa du café qu'ils burent avec reconnaissance. Ben et Pete avaient les joues ombrées de barbe, et personne ne s'était changé depuis la veille.

Nous avons l'air de trois desperados, se dit Morgan.

— Ben, je n'ai jamais été aussi content qu'hier soir de voir un hélicoptère, disait Pete. Nous étions prêts à prendre la voiture. C'est un trajet long et accidenté. Que serait-il arrivé si...

— Allons, allons, l'important est d'avoir pu le faire.

— Je suis ton débiteur, mon vieux. Tu as probablement sauvé la vie de Hallie.

— Plusieurs choses lui ont sauvé la vie. La rapidité d'intervention, la chance, son médecin... sans compter sa combativité personnelle bien connue.

— En tout cas, j'espère qu'elle va cesser de se battre contre ma volonté et accepter d'emménager en ville, comme le conseille le Dr Simon. C'est beaucoup trop dangereux pour elle de rester dans ces montagnes. Tu le lui diras, Morgan.

— Compte sur moi.

— Elle sera à quelques minutes de l'hôpital. Elle aura une

infirmière, quelqu'un pour préparer ses repas. Nous nous relayerons auprès d'elle.

Vers midi, Morgan fut autorisée à voir sa sœur. Hallie reposait, transparente à force de pâleur. A côté d'elle, sur la table de nuit, se trouvait un plateau de petit déjeuner auquel elle n'avait pas touché.

Morgan lui prit la main.

— Tu nous as fait très peur, tu sais.

— Mais j'ai gardé mon bébé! murmura Hallie d'une petite voix enrouée. Il est là, à sa place.

— Je sais, chérie.

— Merci d'être restée. Je suis heureuse que tu sois là.

— Et moi, Hallie, si tu savais comme je suis heureuse... de te voir.

Ses yeux s'emplirent de larmes.

— Il ne faut pas pleurer, Mary Morgan.

— Non, non.

Elle fit un effort violent pour dominer son émotion.

— Comment s'est passé ton rendez-vous avec Ben?

— Hallie!

— Je veux tous les détails...

— Toi alors! Tu es vraiment une personne peu banale. D'abord, ce n'était pas un rendez-vous, mais une simple promenade. C'était bien, oui. A présent, parlons de choses importantes.

— *C'est* important!

— Non. Ce qui est important, c'est toi. Hallie, tu connais notre affection pour toi. Tu sais comme nous voulons que tu mènes ton enfant à terme. Tu dois être raisonnable. Tu vas emménager dans cet appartement près d'ici, comme Pete et le docteur...

— Oui, oui, tu as raison...

Elle eut un petit sourire tremblé.

— Dis-moi, il t'a emmenée dans un joli endroit? T'a-t-il courtisée, rien qu'un tout petit peu?

— Hallie, tu es incorrigible!

Elle lui raconta tout. Hallie écouta avec attendrissement le passage concernant l'ourse et ses petits. Elle fut enchantée que Morgan eût accepté d'aider Ben pour son article. Elle médita un instant, puis d'un seul coup, elle s'endormit.

— Ce n'est pas la peine que vous restiez plus longtemps, mes amis, leur dit Pete quand il fut évident que Hallie était hors de danger. Rentrez donc, tous les deux. Morgan, tu voudras bien reconduire Ben jusqu'à son camion?

— Bien sûr, où est-il?

— Dans la Forêt du Géant.

Durant le trajet, d'un commun accord, ils restèrent silencieux. Après l'atmosphère survoltée de l'hôpital où ils avaient passé vingt-quatre heures, le calme de la montagne était extrêmement agréable. Une bienheureuse lassitude envahissait Morgan. Elle jeta un coup d'œil à son compagnon. Son expression était fermée, indéchiffrable. Il paraissait plongé dans de sombres pensées.

Ils arrivaient dans le district où il avait installé son campement.

— Quelle direction? demanda Morgan.

— Pardon?

— Où se trouve votre camion?

— Ah, oui! Voyons... Prenez l'allée de droite, puis tout droit. Voilà, il est garé sur cette aire.

Elle s'arrêta à côté du véhicule.

— Ben, je voulais vous dire... merci.

— Venez, j'aimerais vous montrer quelque chose.

Il était déjà sorti de voiture et s'éloignait à grands pas sur le sentier. Déconcertée, elle le suivit.

Le sentier conduisait à une haute futaie de sequoias. Dans la lumière du jour finissant, leurs troncs cuivrés prenaient la nuance de l'or. Une paix infinie régnait en cet endroit. Morgan avait l'impression de pénétrer dans une cathédrale, ou un ancien temple druidique — un lieu sacré, situé hors du temps.

— Voici ce que je voulais vous montrer.

Il se tenait au pied d'un arbre immense. Il avait le regard songeur, les traits empreints de solennité.

— Qu'est-ce que c'est?

— C'est le plus ancien sequoia que je connaisse. Je viens lui rendre visite quand j'ai besoin de remettre les choses à leur vraie place. Je l'appelle le grand-père. Il est enraciné ici depuis près de trois mille ans. Il était déjà vieux quand le Christ est né. Il était vivant quand le Cheval de Troie fut introduit dans l'antique cité. C'est le plus grand être vivant au monde.

Le regard se perdait dans les ramures gigantesques. Prise de vertige, Morgan chercha instinctivement la main de son compagnon et la serra.

Aussitôt, il l'attira dans ses bras. Morgan plongea son regard dans le sien. Il était sombre, presque douloureux. Qu'est-ce qui tourmentait cet homme?

Un instant, elle crut qu'il allait l'embrasser; non, il la lâcha aussi soudainement qu'il l'avait prise contre lui.

— Avez-vous faim? dit-il. Moi, oui. Que diriez-vous de dîner?

— Ben...

— Il y a un fameux petit restaurant près d'ici. Ils ont de bons vins et du saumon frais.

— Cela vous ferait plaisir?

— Et comment! Je suis fatigué, j'ai une faim de loup. Vous venez?

Il l'entraîna en lui prenant légèrement le coude.

Le vin était sec et léger, le saumon grillé à la perfection. La salle à manger rustique était charmante, plutôt calme. Et Morgan était belle.

Pour couronner le tout, l'angoisse était apaisée au terme d'une journée poignante. Logiquement, Ben aurait dû se sentir très heureux. Pourquoi donc ne parvenait-il pas à se détendre?

Il posa son regard sur sa compagne, assise en face de lui. Elle racontait avec animation un épisode de son enfance.

— Malgré cela, Hallie a refusé de s'avouer vaincue. Elle était persuadée qu'elle pouvait voler, elle ne voulait pas en démordre. Elle s'est fabriqué des ailes en papier journal et a sauté du toit du garage. Elle a atterri dans le buisson d'azalées et s'est foulé le poignet.

Morgan repoussa ses mèches folles en riant. Elle avait les joues roses, les yeux un peu trop brillants, à cause du vin sans doute, et du manque de sommeil. La fatigue lui donnait quelque chose de plus abandonné que d'habitude, de presque alangui. Aux yeux de Ben, elle était plus féminine que jamais.

— Nous avons cru qu'elle s'était cassé le bras, poursuivait-elle, mais il n'en était rien. Elle avait seulement besoin d'être consolée et câlinée. C'est parfois le meilleur remède, n'est-ce pas ? C'est si bon de se blottir contre une épaule quand on se sent malheureux...

Elle pensait à ce qui s'était produit entre eux tout à l'heure dans la forêt, il le savait. Lui-même ne le comprenait pas vraiment. Tout ce qu'il savait, c'était qu'il avait dans la poitrine un grand trou où il voulait qu'elle se blottisse.

— A quoi pensez-vous, Ben ?

Il n'aurait jamais dû poser la main sur elle ! Il avait soulevé des émotions dont il craignait de n'être plus le maître, en elle et en lui. Et voilà qu'il s'imaginait la ramenant chez elle, lui faisant l'amour, se perdant en elle... Mentalement, il commençait à déboutonner son chemisier un peu froissé...

— Ben ! Vous ne m'écoutez pas.

— Comment ? Ah ! Heu... C'est bien possible, en effet.

— Qu'avez-vous ce soir, Ben ? Qu'est-ce qui vous préoccupe ?

— Oh ! L'hôpital, Hallie, Pete...

— Vous avez été si gentil pour lui... Un vrai frère.

— Je me mettais à sa place. En même temps, j'étais trop content de ne pas être à sa place, à attendre dans ce couloir...

Voici que le cauchemar recommençait. Celui qui le hantait depuis si longtemps... Mary était arrivée avant lui au bord de la corniche. Elle l'appelait. Il la voyait perdre l'équilibre... Ses bras battaient l'air... Et elle tombait, tombait, roulait jusqu'en bas de la pente... Et il regardait, impuissant...

Dès qu'il l'avait prise dans ses bras, il avait su qu'elle avait le cou brisé. Il l'avait tout de même emmenée à l'hôpital. Il avait attendu dans un couloir. Et les médecins étaient enfin venus, pour lui annoncer qu'elle était morte. Depuis lors, il avait les hôpitaux en horreur.

Il but précipitamment une gorgée de son vin, comme pour effacer l'affreux souvenir.

— Vous pensiez à Mary, n'est-ce pas?

Les yeux de Morgan étaient pleins de compassion, et il en fut irrité.

— Je pense toujours à Mary. Elle reste ce que j'ai vécu de plus heureux en ce monde.

— Désirez-vous en parler?

— Pas particulièrement.

Elle ne se laissa pas décourager.

— C'est dur de perdre quelqu'un.. je le sais. Vous ne pensez pas vous remarier un jour?

— Non.

— Je comprends...

Elle se plongea dans la contemplation de son assiette.

— Je ne voulais pas être indiscrète.

— Et vous? Vous n'avez aucune chance de vous réconcilier avec ce... comment s'appelle-t-il, déjà?

— Scott.

— Ah! oui. Alors, aucun espoir?

— Je ne crois pas.

— Si je comprends bien, nous sommes un couple de célibataires!

Il remplit son verre, le leva.

— Je bois à l'absence de romanesque! Sans lui, la vie est

beaucoup plus simple. Gardons les idées claires et la tête froide le reste de notre vie !

Elle le regardait intensément.

— Eh bien, vous ne voulez pas boire avec moi ?

— Non.

— Pourquoi ?

— Parce que j'estime que vous venez de formuler une sottise.

— Tandis que vous, Miss McKenna, pouffa Ben, vous êtes experte en la matière ! Vous devriez m'éclairer, puisque vous êtes si savante !

— Je ne suis pas savante du tout ! Je viens de subir un échec avec Scott. Mais je continue à croire à un idéal amoureux. Je crois qu'il est possible et nécessaire.

— Pour vous peut-être. Moi, j'ai déjà eu mon tour. Je n'en cherche pas d'autre.

— Ben...

— Parlons d'autre chose, voulez-vous ? Si nous continuons dans cette voie, je sens que je vais vous mettre en colère. Or j'ai besoin de vous pour l'article.

— Ah oui, l'article ! soupira-t-elle. Chose promise, chose due. Si vous devez le rendre dans deux semaines, il vaut mieux s'y atteler le plus tôt possible. Demain ?

— Entendu. Je vous apporterai la documentation dont je dispose. Et un de ces jours prochains, vous m'accompagnerez sur le terrain.

— Très bien. Vous, vous apprendrez à rédiger une phrase correctement bâtie, et même un paragraphe ou deux.

— Moi ? Quelle idée ! Pourquoi le ferais-je ?

— Pour ne plus être dépendant. Je ne resterai pas ici éternellement, vous savez.

— C'est vrai. Quand le petit Brundin sera là, vous regagnerez la grande ville.

— Il faudra que vous écriviez votre prochain article seul.

— Alors je vais vous observer de près, Miss, en espérant grappiller quelques-uns de vos trucs !

Rendus euphoriques par la belle lumière du couchant, dans un accès d'optimisme, ils avaient décidé d'aller au restaurant à pied. A présent, dans la nuit noire et venteuse, le trajet jusqu'à leurs voitures paraissait long à Morgan, infiniment plus long qu'à l'aller. Tout était noir sous ces arbres immenses, et cela l'angoissait. Elle ne voyait même pas son compagnon. Au bruit de son pas, elle savait seulement qu'il marchait à ses côtés. Naturellement, il devait si bien connaître cette forêt qu'il était capable de s'y orienter les yeux fermés. Elle avait peur, et elle n'osait pas le lui dire. Il était si différent d'elle, si déconcertant ! Voilà qu'il sifflotait à présent.

Soudain, elle trébucha sur un rocher, poussa un cri.

— Que vous arrive-t-il, Miss ? Vous vous êtes fait mal ?

— Non. Oui ! Ben, on n'y voit rien, et je... Que se passera-t-il si nous tombons sur l'une de vos mascottes favorites, Lily ou Blondie, par exemple ?

— Nous ne les verrons pas, croyez-moi.

— Pourquoi devrais-je vous croire ?

— Parce que si l'un de ces animaux se trouvait à proximité, je le saurais.

— Comment ? Il fait sombre comme dans une cave. On ne voit même pas où on met les pieds !

— J'ai peut-être besoin d'apprendre quelques trucs d'écriture, mais vous, vous avez grand besoin d'apprendre à vous débrouiller dans la nature ! Vous êtes une fleur de serre, ma chère.

— Je ne demande qu'une lampe de poche, c'est tout.

— Nous y sommes presque. Tournez à droite. C'est l'entrée de l'aire de parking.

— Enfin ! Guidez-moi jusqu'à ma voiture.

— Elle est à quarante mètres devant vous. Vous êtes dans un espace ouvert. Vous ne risquez pas de heurter quoi que ce soit.

— C'est facile à dire, je ne vois rien.

— Concentrez-vous, servez-vous de votre sixième sens. Avancez.

Il lui lâcha le coude et s'écarta.

— Ben ! Ne me laissez pas. Je suis complètement perdue.

Pas de réponse.

— Ben !

Une chouette ulula dans un froissement d'ailes. Morgan attendit anxieusement que Ben réponde. Rien. Il pouvait aussi bien avoir disparu. Au-dessus d'elle, les grands arbres grondaient et craquaient, lugubres.

— D'accord, Ben, j'avoue. Je suis une fleur de serre, une peureuse. J'ai les facultés atrophiées par des années de vie dans le béton. S'il vous plaît, aidez-moi à trouver ma voiture.

Rien ne bougea alentour. Morgan se sentit comme un petit enfant perdu au milieu d'un mauvais rêve. Le monde était immense, silencieux, et elle avait peur du noir.

— Bon, j'ai compris ! explosa-t-elle. Vous êtes un lâcheur, espèce d'amateur d'ours !

Elle se contraignit à avancer. Etait-elle dans la bonne direction ? Elle n'en avait aucune idée.

Au bout de quelques minutes, elle se dit qu'elle avait dû manquer la voiture. Elle l'avait sûrement dépassée, et elle allait s'enfoncer dans les bois. Elle étendit les bras devant elle, tâtonna à l'aveuglette, et rencontra la surface rugueuse d'un tronc. La chouette cria tout près. Elle sursauta, recula vivement de deux pas, et se buta dans une masse qui appartenait sans conteste à un être vivant.

Elle hurla.

— Morgan ! C'est moi Ben !

Il l'avait saisie aux épaules.

Elle se retourna avec un petit cri, jeta ses bras autour de son cou comme quelqu'un qui se noie, s'accrocha à lui, convulsivement. L'intensité de cette peur le surprit.

— Là, là, Morgan. Vous avez presque réussi, vous étiez tout près.

— Où est ma voiture ?
— Ici, tout à côté.
Il tapa sur la carrosserie du plat de la main.
— Vous voyez ?
Elle tremblait encore violemment.
— Je ne vois rien, je vous l'ai dit.
— Je suis vraiment désolé. Je ne pensais pas vous effrayer autant.
— J'ai toujours eu peur du noir !
— Donnez-moi vos clefs. Je vais allumer vos phares.
— Non ! Ne me quittez pas.
— Morgan, mon petit, soyez raisonnable...
Etre raisonnable ? C'était au-dessus de ses forces. Elle n'était même plus capable de penser. Elle ne savait que se presser contre lui. La journée avait été longue et éprouvante. Elle était épuisée physiquement, nerveusement. Elle avait besoin du réconfort d'un être humain.
— Ecoutez, Morgan, je...
Leurs bouches étaient si proches... Elle ne sut pas si c'était lui qui s'était incliné vers elle, ou elle qui s'était haussée vers lui ; toujours est-il qu'ils se retrouvèrent en train de s'embrasser, tendres et maladroits comme des adolescents.
Ben prit entre ses mains le visage de la jeune femme.
— Morgan... murmurait-il, Morgan...
Il pressa contre sa gorge ses lèvres pleines, vivantes. Elle passa ses mains sous son pull de laine, sentit les muscles de son dos sous la chemise de flanelle. Il avait un corps d'athlète. Tendu, puissant, vivant.
Soudain, pour la première fois de cette soirée, Morgan eut l'impression que les choses prenaient leur vraie place. Les propos nihilistes, les dissensions, tout s'effaça de sa mémoire. Elle ne vit plus en Ben qu'un homme, tout simplement. Un homme pour qui elle éprouvait quelque chose. Un homme qu'elle mourait d'envie de mieux connaître.
Telle était la vérité.
Ils restèrent immobiles dans les bras l'un de l'autre, front

contre front. Leurs souffles se mêlaient, leur cœurs battaient au même rythme rapide.

— Morgan, vous avez deux secondes pour vous échapper, si vous le voulez...

Elle attendit sans bouger.

Alors il prit ses lèvres, fougueusement cette fois. Il la voulait, il voulait que ces lèvres s'ouvrent à lui.

— Oh, Ben...

Leurs bouches se connurent passionnément. Elle s'arqua contre lui, il lui caressa longuement les épaules, le dos, la cambrure des reins. Il berça ses hanches, les pressa contre les siennes. Elle sentait la force de son désir d'homme.

Elle aurait dû en être effrayée; or elle n'avait pas la moindre peur. L'obscurité totale les enveloppait de sa complicité. Ils ne pouvaient se voir, seulement se toucher, se sentir, se goûter. Elle avait perdu le sens de ses propres limites, elle s'était perdue en lui. Son corps vivait intensément, le bout de ses doigts était devenu infiniment sensible. Elle les passait dans l'épaisse chevelure de Ben, apprenait la forme de sa tête, le crissement de ses mèches.

Il l'embrassait avec plus de douceur, plus de sensualité aussi. Il la tentait, il l'entraînait avec lui dans le monde du désir. Il la voulait de toutes ses forces, il était affamé d'elle. Elle le voulait aussi. Comme elle n'avait jamais désiré un homme.

Elle lui rendit ses baisers avec une ardeur égale à la sienne. Il gémit de plaisir. Il tâtonna à la recherche des boutons de sa blouse, les enleva les uns après les autres. Quand elle fut ouverte, il prit dans ses mains ses seins fermes et pleins.

Il devait avoir un pouvoir magique dans les doigts. La sensation était si intense qu'elle avait peine à respirer. Ses caresses suscitaient en elle des ondes voluptueuses toutes plus exquises les unes que les autres. Elle se retint aux épaules de l'homme pour ne pas perdre l'équilibre.

— Ben... murmura-t-elle dans un souffle rauque, Ben, je...

Il prit dans sa bouche la délicate pointe rose. Elle ne trouva plus la force d'émettre un seul mot.

Elle n'avait jamais rien vécu de tel. C'était une révélation. Elle n'avait même jamais imaginé que des impressions aussi intenses puissent se développer entre un homme et une femme.

— Nous sommes fous, toi et moi, chuchota-t-il à son oreille. Complètement fous.

— Oui!

— Tu es resplendissante, Morgan, et... et je crois que tu devrais rentrer chez toi.

Elle noua ses bras autour de son cou, le tint étroitement serré.

— Pourquoi?

— Parce que.

Il posa sa joue sur les cheveux de la jeune femme.

— Encore une minute, et je ne pourrai plus me retenir de te faire l'amour ici même, tout de suite.

— Alors viens avec moi.

Il hésita.

— Je ne sais pas si tu mesures la portée de ce que tu dis. Je crois que tu es un peu ivre...

— Pas de vin. De toi.

Il rit et la berça gentiment dans ses bras.

— Si tu veux. Tu es troublée par le manque de sommeil, les dramatiques heures d'attente à l'hôpital, d'autres choses encore.

— Et toi?

— Moi non plus, je ne suis pas dans mon état normal. Je te désire si fort en ce moment, Morgan, que je me demande comment je le supporte. Mais je pense qu'il ne faut pas aller plus loin. Pas ce soir. Ce ne serait pas bien.

— Tu as peur que je regrette, après?

— Peut-être.

Elle soupira, plaintive. Ben rit encore, puis couvrit son visage de gros baisers sonores.

— Monte en voiture, veux-tu? Nous nous verrons demain.

— Promis?

— Juré.

Alors que les premières lueurs de l'aube pénétraient la forêt, Morgan s'aperçut qu'elle n'avait pas encore dormi. C'était de la folie! Il y avait presque quarante-huit heures qu'elle était éveillée. Elle repoussa drap et couvertures, enfila sa robe de chambre. Elle voulait voir si elle pouvait rallumer la dernière bûche qui restait dans la cheminée.

Ben Gerard... Elle ne cessait de revivre chaque minute de ce qui s'était passé entre eux la veille. Il avait bouleversé son équilibre. Elle était à la fois embarrassée et surexcitée; les minutes tombaient avec une lenteur désespérante. L'attente lui était insupportable, elle était follement impatiente de le revoir.

Elle froissa une page de journal qu'elle plaça sous la bûche à demi consumée avec quelques brindilles, puis craqua une allumette.

— Est-ce que je deviens folle? se demandait-elle. Suis-je amoureuse, ou quoi?

Elle était rentrée chez elle dans un état de grand désarroi physique et mental. Heureusement qu'elle habitait seule! Elle était contente que personne ne puisse la taquiner à propos de son regard illuminé, de ses lèvres gonflées et de son chemisier reboutonné à la va-vite, dans le mauvais ordre.

Elle avait le corps brûlant des caresses de Ben, et la douche fraîche n'avait pas réussi à la calmer. Une tasse de lait chaud n'avait pas eu non plus l'effet désiré sur son esprit surexcité, qu'elle n'avait pas incité au sommeil. Elle était restée étendue entre ses draps sans dormir, partagée entre cent pulsions contradictoires.

Une question surtout la hantait. *Qui est-il? Qui est cet homme?*

Le feu se décida enfin à reprendre. Elle fouilla les tiroirs du bureau d'Abby, trouva ce qu'elle cherchait : une liasse de papier blanc. Blottie sur le canapé, les jambes repliées sous elle, elle se mit à écrire. Elle fut la première surprise de ce qui lui était venu sous la plume.

C'était un poème.

7.

— Morgan ?

Très loin, elle entendait une voix d'homme qui appelait son nom.

— Morgan, réveille-toi.

Elle se retourna en grognant, consentit enfin à ouvrir les yeux. C'était Pete. Si elle ne pouvait même plus faire tranquillement une petite sieste avant le dîner sans qu'on la dérange, ce n'était pas juste !

— Je t'ai apporté du café, Morgan.

— Du café ? Quelle heure est-il ?

— Neuf heures.

— Tu plaisantes ? Il fait encore jour.

— Nous sommes mardi matin, mon petit.

Il lui mit la tasse de café dans les mains.

— Il est temps de te lever.

— Qu'est-ce que tu dis ? Je ne comprends pas.

— Tu as dormi très longtemps, simplement. Tu devais en avoir besoin.

Elle s'assit, but une gorgée de café. L'*expresso*, dont

Pete s'était fait une spécialité, était assez fort pour réveiller un mort.

— Mon Dieu, gémit-elle, j'ai dormi tout ce temps ! Je suis désolée, vraiment désolée, Pete !

— Ne t'excuse pas.

— Comment va Hallie ?

— Très bien. Elle est sortie de l'hôpital hier après-midi. Nous l'avons installée dans ce fameux appartement.

— Elle y a consenti ?

— Le Dr Simon et moi ne lui avons pas laissé le choix. Elle sait que c'est plus sage. Elle a eu très peur.

— Oh ! oui, pauvre Hallie ! Il faut que je l'appelle. Je vais aller la voir aujourd'hui, et je...

Elle posa sa tasse, jaillit de son lit. Comment avait-elle pu abandonner ainsi sa sœur ? Comment avait-elle pu dormir... presque seize heures, si elle comptait bien ? Elle fouilla fébrilement sa penderie, en sortit un pantalon à pinces et une chemise propre.

— Excuse-moi, Pete. Jamais je ne...

— Allons, allons, calme-toi, Morgan. Hallie sera certainement très heureuse de te voir, mais auparavant, il y a à faire à l'auberge. L'aide que j'ai engagé arrive aujourd'hui. Il faudra que je le mette au courant, et...

— Bien sûr, Pete, où ai-je la tête ? Je suis à ta disposition, naturellement. Juste le temps de...

— Ne te bouscule pas, mon petit, il n'y a pas urgence. Je me fais l'effet d'un croquemitaine. En fait, j'étais seulement venu voir comment tu allais. Figure-toi que je suis passé hier soir vers sept heures. Je t'ai appelée plusieurs fois, je t'ai même secouée, sans succès. Tu dormais si profondément que tu n'as pas cillé.

— Je n'en ai aucun souvenir.

— La même mésaventure est arrivée à Ben, il me l'a raconté.

— Qui ?

— Ben Gerard, tu sais bien ?

— Oui, oui, Ben, naturellement. Il est venu ici?

— Oui. Il avait à te parler, je crois.

— Ah?

Une bouffée de chaleur l'empourpra. Pour cacher son trouble à Pete, elle alla ouvrir les rideaux. Le soleil du matin inonda la pièce.

— Il t'a apporté une pile de livres. Ils sont sur le bureau. Il m'a dit que tu l'aidais à écrire un article, c'est cela?

— Exactement.

Pete rit doucement.

— En tout cas, il n'a pas réussi non plus à te réveiller. Il est resté une petite heure au bar et il est reparti.

— C'est vraiment idiot!

— Il semblait déçu lui aussi. J'imagine que cela représente un gros travail, hein?

— Oh! oui, marmonna-t-elle. Un gros travail.

— Bon, je m'en vais. Mange un peu et retrouve-moi à l'auberge. Nous examinerons la liste des achats. La Fête Nationale du 4 Juillet arrive, il va sans doute falloir doubler les commandes.

— Je viens dès que je suis présentable.

Pete parti, elle se glissa sous la douche, un peu étourdie par l'émotion. Ben était venu! Il était venu pour la voir, comme il l'avait promis. Et elle l'avait manqué! Elle était en retard d'une journée.

Elle se savonna vigoureusement des pieds à la tête. Elle se rappelait les caresses de Ben. Elle n'avait jamais ressenti cela pour personne, jamais! Il avait éveillé une partie d'elle-même dont elle ne soupçonnait même pas l'existence. Elle ferma les yeux, laissa son esprit vagabonder. L'espace d'une seconde, elle imagina tout, leurs fiançailles, leur mariage dans une chappelle forestière, les noms de leurs enfants...

Ma parole, tu es complètement folle, Morgan McKenna! Tu connais à peine cet homme, et tu rêves comme une collé-

gienne ! Tu as vingt-cinq ans, tu es une adulte. Où est donc ta raison ?

— Partie, envolée ! chantonna-t-elle en s'enveloppant d'une serviette. C'est un type très bien, chuchota-t-elle aimablement au miroir. Il est passionné par son travail. Il est loyal en amitié. Et je le connais depuis presque six mois.

— Mais combien de fois as-tu parlé avec lui, peux-tu me le dire ? argumenta le miroir.

— Peu importe, je suis folle de lui !

— Tu es folle, pour cela oui. La semaine dernière tu ne pouvais pas le supporter, et maintenant tu es amoureuse ?

— Peut-être bien.

— Et lui ?

— Oh ! lui, c'est très spécial. Je ne lui suis pas indifférente, je le sais. Il me veut.

Trois jours plus tard, elle n'en était plus aussi sûre. Ben n'avait pas reparu. Elle avait appelé chez lui pour s'excuser d'avoir été indisponible le jour de sa visite. Il n'était pas chez lui.

Le seul contact qu'elle pouvait avoir avec lui était par l'intermédiaire des documents qu'il lui avait laissés. Elle y consacra ses soirées, après s'être acquittée de ses tâches à l'auberge. Elle se plongea dans les livres, regarda les photos, étudia les notes personnelles de Ben. Il avait ébauché un plan de l'article, et joint quelques-uns de ses brouillons. Effectivement, ils étaient cocasses à force d'être illisibles.

Heureusement, le plan était utilisable. Morgan fut bientôt en mesure de commencer à rédiger. Il y avait urgence : moins de deux semaines, à présent. Ben réapparaîtrait-il à temps ?

Où était-il ?

Elle soupira, serra ses papiers dans un classeur et les déposa dans le dernier tiroir du bureau, en bas à gauche.

Ben l'évitait-il ? Regrettait-il leur dernière soirée, par cette nuit sans lune ?

Peut-être la prenait-il pour une fille légère, prête à se jeter à la tête de n'importe qui ? Il est vrai qu'avec lui, c'était elle qui avait fait le premier pas. Alors qu'elle était plutôt prude habituellement.

Ou alors — et c'était la pire hypothèse — il la comparait à sa femme. Et la comparaison n'était pas à son avantage. Comment pouvait-elle rivaliser avec Mary, ce modèle de toutes les vertus ? C'était impossible !

Tristement, elle sortit un second dossier du bureau. Il contenait tous les poèmes qu'elle avait écrits ces jours passés. Une vingtaine en tout. Certains éblouis, pleins d'espoir, d'autres sensuels, d'autres désespérés.

Elle en écrivit encore un, qu'elle ajouta aux autres.

Une semaine passa. Elle n'avait toujours pas revu Ben. La fête du 4 Juillet, Jour de l'Indépendance, arriva. Traditionnellement, c'était une époque de grande activité dans l'auberge. De surcroît, comme cette année la fête tombait un samedi, l'hôtel était absolument complet. Morgan était occupée à pointer les registres de réservation à la réception, tout en accueillant les nouveaux arrivants. Elle resta bouche bée d'étonnement en voyant la personne qui venait d'entrer.

— Comment vas-tu, Morgan ? Cela fait un moment que nous ne nous sommes pas vus !

— Scott ! Que fais-tu ici ?

— Eh bien, j'ai eu l'idée de venir passer le 4 Juillet. Je suis ici pour le week-end. Cela te paraît étrange ?

Il était parfait, comme d'habitude : grand, bronzé, tiré à quatre épingles dans ses vêtements de sport ultra-chics. Il tenait à la main un sac de voyage signé d'un grand maroquinier.

— Mais... mais... toi qui ne prends jamais un jour de détente...

— Peut-être ai-je changé ? Cela arrive, tu sais.

— Scott, je...

— Veux-tu me montrer ma chambre ?

— Je n'en ai pas une seule ! Nous sommes complets.

Il se pencha sur le registre ouvert sur le bureau.

— Regarde, je suis là. Townsend, chambre 218.

Elle cilla plusieurs fois. Pas d'erreur possible, il était inscrit. La réservaiton avait dû être faite une semaine auparavant et cela lui avait échappé.

— Chambre 218, répéta-t-elle, abasourdie.

Elle lui tendit la clef.

— C'est vraiment un plaisir de te voir, roucoula-t-il. Tu es superbe.

Elle passa la main dans ses cheveux ébouriffés, relevés à la va-vite dans une grosse barrette de plastique.

— Tu plaisantes, dit-elle.

Pour l'amour du ciel, que fait-il ici ?

— Je ne plaisante pas du tout, je t'assure. Tu m'as manqué, Morgan. J'espère pouvoir passer quelques moments avec toi.

— Cela sera difficile, Scott, j'ai tellement de travail... Un banquet à préparer, et la soirée dansante de ce soir... Je suis débordée.

Il sourit.

— Ne te tracasse pas trop. Pour ma part, je trouverai ma chambre moi-même. Tu t'accorderas bien une pause à un moment ou à un autre, non ? L'hôtesse aussi a le droit de danser, je pense.

Quand il fut monté, Susie, la jeune stagiaire engagée pour l'été, se confondit en exclamations.

— Dis donc, Morgan, il est sensationnel ! On dirait une gravure de mode ! C'est un ami à toi ?

— Heu... oui.

— Il ne ressemble pas aux types du coin ! Tu me le présenteras ?

— Oui, si tu veux. Excuse-moi, il faut que j'aille en cuisine voir Pascal.

Pascal était débordé, lui aussi. Il avait entrepris la confection de magnifiques tartes aux fruits, et s'apercevait que certains des ingrédients n'étaient pas en quantité suffisante. Morgan en releva la liste et promit de lui procurer ce qui lui manquait dans les plus brefs délais.

En fouillant dans leurs réserves, elle se contraignit à retrouver son calme. Quelle histoire ! Il lui incombait la tâche de distraire et de nourrir quatre-vingts personnes, et voici que son ex-fiancé réapparaissait ! Il y avait bien longtemps qu'elle n'avait pensé à lui. Elle était bien trop préoccupée par l'absence prolongée de Ben Gerard.

Pascal avait réclamé du sucre glace. Voyons, où était-il ? Ah ! là, sur l'étagère du haut. Elle grimpa sur une caisse pour l'atteindre. Prendrait-elle toute cette énorme boîte, ou une tasse seulement ? Elle ouvrit le couvercle pour voir ce qu'il restait de sucre.

— Morgan ?

Cette voix ! Un frémissement la parcourut tout entière. Elle se retourna d'un bloc, laissa échapper la boîte. Un nuage blanc s'éleva dans la pièce.

— Ben !

— Bonjour.

Il éternua.

Ils se contemplèrent dans un brouillard de sucre.

Il était vêtu d'un jean et d'une chemise blanche et il était barbu. Morgan le trouva beau. Le sucre se déposait en une fine pellicule sur ses cheveux, sur ses cils. Morgan se mit à rire.

— Ben, je vous ai poudré !

— Ce n'est pas grave, dit-il en se brossant du plat de la main.

— Attendez, je vais arranger cela.

Elle prit un torchon propre et l'épousseta consciencieusement. Son cœur lui martelait les côtes, elle respirait difficilement. Elle était heureuse, heureuse de le revoir! Elle lui toucha la barbe. C'était doux. Elle lui passa la main dans les cheveux et, dans un mouvement impulsif, avant d'avoir compris ce qu'elle faisait, elle l'embrassa.

Il répondit à son baiser, mais avec une certaine réserve que Morgan remarqua tout de suite. Elle s'écarta. Entre eux, quelque chose n'allait pas.

— Alors, commença-t-elle d'un ton enjoué pour cacher son embarras, comment ça va, Ben? Où étiez-vous?

— Dans la nature. J'ai campé toute la semaine dernière pour observer un couple d'ours.

— Je comprends. C'était intéressant?

— Passionnant.

— J'ai essayé de vous appeler.

— Ah oui?

— Oui. Pete m'avait raconté que vous étiez venu me voir pendant que je dormais. J'ai trouvé les livres que vous m'avez laissés. J'ai compilé vos documents et rédigé une première version de l'article.

— Bravo.

— Je vous la montrerai une peu plus tard si vous voulez.

— Epatant.

— Il y a une fête ce soir. On dansera. Vous êtes invité.

— Merci beaucoup.

Le sourire de Morgan mourut sur ses lèvres. Elle aurait aimé... Un peu moins de laconisme, peut-être?

— Miss Morgan! appela Pascal de la cuisine. J'aurais également besoin de poudre de noisettes!

— J'arrive! cria-t-elle. Oh! Ben, excusez-moi, c'est la folie ici aujourd'hui. Ne vous éloignez pas trop, je vous donnerai tout à l'heure un exemplaire de l'article. Vous me direz ce que vous en pensez.

— D'accord.

Elle prit les ingrédients demandés, ce qui restait dans la boîte de sucre glace, et s'en alla très vite.

La journée se poursuivit sur le même rythme trépidant.

On la réclamait partout. Ce fut seulement lorsque l'après-midi déclinait qu'elle trouva un moment pour s'échapper. Elle prit une douche et se changea pour la soirée. Elle choisit une robe bain de soleil de couleur vive, des boucles d'oreilles volumineuses et une paire de sandales.

Elle pensait à Ben. Etait-il vraiment nécessaire qu'il se retire tout ce temps en pleine nature, ou bien avait-il trouvé ce moyen pour mettre quelque distance entre eux ? Elle se rappelait sa réserve lorsqu'elle l'avait embrassé... Pourtant, il n'était pas du genre réservé en ce domaine, elle en était sûre.

... L'orchestre avait commencé à jouer. La musique lui parvenait à travers les arbres. Elle se hâta de regagner l'auberge.

La première personne qu'elle vit fut Ben, qui bavardait sur le seuil avec Pete.

— Je viens d'avoir Hallie, lui annonça ce dernier. Elle va bien, elle t'envoie mille baisers.

— Je voudrais tellement qu'elle soit ici !

— Je vais la voir tout à l'heure, je lui apporterai des gâteaux. Maintenant, tu vas me faire le plaisir de t'amuser un peu, tu as assez travaillé ! Ben, emmène Morgan danser.

Elle regarda Ben. Elle en avait assez que tout le monde les pousse dans les bras l'un de l'autre ; elle aurait préféré que ce soit lui qui le propose.

— Vous venez, Morgan ?

Il lui prit la main. Le hall avait été aménagé en piste de danse. Quelques couples y évoluaient déjà.

C'était un slow. Elle posa sa main qui tremblait un peu sur l'épaule de Ben, sentit la sienne, chaude, au creux de sa taille.

— Comment allez-vous, Morgan ?

Elle eut un petit rire.

— Je me sens nerveuse. Très nerveuse même, je l'avoue.

— Pour quelle raison ?

— J'ai l'impression d'avoir quinze ans ! Je ne sais plus quoi vous dire, tellement vous m'intimidez.

Il lui décerna un sourire dévastateur de cow-boy. Mais son regard restait sérieux.

— Vous êtes une fille adorable, Morgan.

— Vous le pensez vraiment ?

— Oui, madame.

— Alors pourquoi n'êtes-vous pas plus heureux de me voir ?

— Qui vous dit que je ne le suis pas ?

— Ben !

— Bon, bon, j'arrête. Je suis un peu ennuyé, c'est tout.

— A quel propos ?

— A propos de vous, de moi, de l'autre nuit.

Elle s'empourpra.

— Je n'ai pas oublié, dit-elle dans un souffle.

— Je l'espère bien ! Nous avons presque fait l'amour au beau milieu de la forêt, non ?

— Ma foi je… heu… « Presque » me paraît être le mot adéquat, en effet.

— Allons, Morgan, ne soyez pas si timide. Vous savez bien de quoi je veux parler. Entre nous, il y a une affinité physique mystérieuse, qui a des effets explosifs.

— C'est vrai.

— Vous êtes une femme très désirable. Vous êtes passionnée, vous êtes attirante, et je meurs d'envie d'achever ce que nous avons commencé. Cela m'a littéralement obsédé. Seulement…

— Seulement ?

Du bout du doigt, elle effaça doucement le pli qui lui barrait le front.

— Il y a d'autres éléments à considérer, Morgan. Je ne voudrais pas que… je ne veux pas vous raconter d'histoires.

— Alors dites-moi la vérité.

— Est-ce que vous avez écouté ce que je disais l'autre soir, au restaurant?

Que disait-il? Leur conversation dans le restaurant se brouillait dans sa mémoire. Elle ne se rappelait nettement, seconde par seconde, que la scène qui avait suivi, dans la forêt. Celle-là lui avait inspiré plusieurs poèmes.

— Le restaurant?

Voyons... Il avait parlé de Mary. *Elle reste pour moi ce que j'ai vécu de plus heureux en ce monde. Je pense toujours à elle.* Une seconde fois, ces mots l'atteignirent en plein cœur. A sa question concernant un remariage éventuel, il avait répondu qu'il avait déjà eu son tour, qu'il ne cherchait pas d'autre amour.

— Si j'ai bon souvenir, reprit-elle, vous avez parlé de... de votre désir de ne pas vous engager à nouveau, et...

Elle se troubla.

— En y réfléchissant ensuite, je me suis dit que vous ne le pensiez pas réellement.

— C'est bien ce que je craignais. Morgan, je ne veux plus m'engager dans une relation durable. Plus du tout. Je tenais à ce que vous le sachiez.

Le sens de ces paroles mit quelques secondes à pénétrer jusqu'à la conscience de la jeune femme. Ben était en train de lui dire qu'il ne pouvait pas l'aimer. Que même s'il devenait son amant, il ne lui rendrait jamais les sentiments qu'elle avait commencé d'éprouver pour lui.

— Je comprends, dit-elle à voix très basse.

— Je ne voulais pas que vous vous mépreniez. Je tenais à ce que vous sachiez la vérité.

— Je vous remercie, fit-elle sèchement. J'apprécie votre franchise. La noblesse de vos scrupules vous honore, Ben Gerard.

— Ecoutez, Morgan, ne me...

— Je ne plaisante pas, je vous assure.

— Morgan, puis-je me permettre de vous interrompre?

Il me semble que la danse qui va commencer est celle que tu m'as promise, non ?

C'était Scott Townsend qui la sollicitait. Abasourdie, elle le regardait comme une apparition. Effectivement, la musique s'était tue, la danse était finie.

— Ah ! oui, c'est vrai, acquiesça-t-elle distraitement. Scott, je te présente Ben Gerard. Ben, vous vous rappelez Scott.

Les deux hommes se serrèrent la main en échangeant des regards vaguement suspicieux. Morgan avait seulement hâte de s'échapper. La scène précédente vivait douloureusement en elle.

Heureusement, l'orchestre se mit à jouer un rock. Elle n'aurait plus besoin de parler à personne.

Scott dansait bien. Ils se lancèrent dans une série de pas fort bien accordés. Morgan en découvrait certains ; ce devaient être les dernières passes à la mode dans les soirées de Los Angeles. Elle évolua en rythme sans que la danse rompît le cours de ses pensées.

Comme elle avait été naïve ! Elle s'était lancée à cœur perdu dans le rêve. Elle avait écrit tous ces poèmes, persuadée qu'il éprouvait pour elle un peu de ce qu'elle ressentait pour lui de plus en plus profondément. C'était totalement absurde !

Son rêve à elle n'était pas limité dans le temps, elle n'avait même pas imaginé que leur histoire pourrait n'être qu'une simple aventure. Ce qu'elle voulait, c'était un homme qu'elle aime d'amour… pour toute la vie.

Mais lui, lui… il ne voyait pas les choses de cette façon. Leur histoire s'arrêterait aussi vite qu'elle avait commencé. Il ne voulait surtout pas s'attacher, pour n'avoir rien à regretter.

En somme, elle n'était pour lui qu'un épisode agréable, une passade. C'était Mary qui demeurait le seul et unique amour de sa vie. Elle était restée au plus profond de son cœur. Il ne permettrait à aucune femme de prendre sa place. De cette façon; il la gardait vivante en lui. Définitivement.

Morgan le chercha rapidement des yeux. Il n'était plus là où elle l'avait quitté ; il était au buffet, en grande conversation avec Susie qui le couvait littéralement du regard.

Elle soupira. Elle le savait avec certitude à présent, et c'était terrible : elle était amoureuse de lui. Elle aimait Ben, et son amour ne se bornait pas à une simple attirance physique ; il avait grandi en elle, lentement. Ce qu'ils avaient vécu cette nuit-là dans la forêt avait servi de révélateur à ce qu'elle portait déjà en son cœur.

Qu'allait-elle devenir ? Elle pressa sa paume contre sa poitrine, là où elle avait mal... Mal de chagrin, de jalousie, de colère, de désir...

— Morgan ?

La musique avait cessé. Scott lui tenait le coude.

— Veux-tu boire quelque chose ? Un peu de champagne, peut-être ?

— D'accord pour le champagne.

Elle le suivit jusqu'au bar. Il lui tendit une coupe dont elle but la moitié d'un trait.

— Doucement, voyons !

— Ecoute, rétorqua-t-elle, je n'ai plus besoin de tes conseils avisés, je croyais te l'avoir dit. Ne recommençons pas le même schéma, Scott.

— Oui, tu as raison.

Il rit.

— Ai-je assez regretté d'avoir voulu régenter ta vie !

Elle le considéra avec curiosité.

— Toi ?

— Moi, oui. Tu sais, j'ai beaucoup réfléchi, Morgan. Tu m'as causé un grand choc lorsque tu m'as quitté.

— C'est vrai ?

— Oui. Mais en même temps, tu m'as donné une leçon qui m'a été très profitable.

Elle prit encore une gorgée de champagne. Du coin de l'œil, elle vit que Ben était parti.

— Comment cela, Scott ?

— Vois-tu, j'ai toujours eu cette attitude paternaliste, avec toutes les filles que j'ai connues. Mais jusqu'à présent, aucune n'avait osé se révolter.

— Vraiment ?

— Absolument. Tu as été la première.

— Tu m'étonnes beaucoup.

— C'est la pure vérité. J'ai toujours été convaincu que je savais tout mieux que tout le monde, et que mon entourage devait m'être reconnaissant de bien vouloir l'éclairer.

— Scott Townsend ! C'est toi qui parles ainsi ?

— Eh ! oui. Il a fallu que je perde ce à quoi je tenais vraiment pour consentir à réfléchir, et à me regarder sans complaisance.

Morgan n'en croyait pas ses oreilles. Entendre Scott tenir de tels propos sur lui-même, lui qui était la personne la plus narcissique qu'elle ait jamais connue, était proprement époustouflant.

— Et je peux te dire, poursuivait-il, que cet examen de conscience fut loin d'être agréable pour moi. Je n'avais pas lieu d'être fier. J'ai eu bien des torts envers toi, Morgan. Je pense que je te dois des excuses.

Les yeux de la jeune femme s'écarquillèrent encore.

— Toi, des excuses ? Je n'aurais jamais, jamais imaginé que je t'entendrais parler de la sorte !

— Eh bien, tu n'es pas au bout de tes surprises. J'ai encore beaucoup de choses à te dire. J'espère que tu m'écouteras jusqu'au bout.

Il semblait sincère. Elle ne reconnaissait plus le personnage fabriqué au sourire de commande qu'elle avait connu. Cette nouvelle attitude l'incitait en effet à l'écouter... mais brusquement, une sorte de sixième sens l'avertit de la présence de Ben.

Elle se retourna. Il était juste derrière elle.

— Excusez-moi, dit-il. Morgan, si cela ne vous ennuie pas, j'aimerais que vous m'accordiez quelques minutes, pour que nous puissions parler travail.

— Travail ?

— Oui, pour l'article. Vous vouliez me le montrer...

— Ah ! oui, c'est vrai.

Elle se sentait pour le moins tiraillée.

— Scott, veux-tu m'excuser un moment ?

Elle lui prit la main et la serra. Il l'attendrissait, avec sa bonne volonté évidente et son air vulnérable.

— Nous parlerons après, je te le promets. Je reviens.

— D'accord, je t'attends.

Ben lui prit le coude pour la guider au milieu de la foule des danseurs.

— J'aimerais bien savoir ce que fait ici ce... comment s'appelle-t-il, déjà ?

— Scott. Scott Townsend.

— Je ne me souviens jamais de son nom.

— Ce que je trouve curieux, Ben, c'est que vous vous rappeliez toujours le nom des ours. C'est seulement dans le cas des humains que votre mémoire se révèle défaillante ?

Il ignora le sarcasme.

— Alors, que fait-il ici ?

Elle descendit tranquillement les marches du perron et le précéda sur le sentier qui menait chez elle.

— Vous l'avez invité ? insista Ben.

— Il est venu de sa propre initiative. Il a retenu une chambre.

— Combien de temps pense-t-il rester ?

— Je n'en sais rien.

Ben se redressa de toute sa hauteur.

— Essaieriez-vous de me rendre jaloux, Morgan ?

Elle pivota pour lui faire face.

— Vous, jaloux ? Pardonnez-moi si je ris, mais pourquoi seriez-vous jaloux ? Ne m'avez-vous pas expliqué que vous ne vouliez surtout pas vous lier ? L'indifférence exclut la jalousie, non ?

Durant quelques instants, ils se défièrent du regard. Il s'approcha brusquement, saisit son visage entre ses mains et s'empara fiévreusement de sa bouche.

— Ben !

Il l'embrassait à nouveau, avec violence.

Elle le repoussa des deux mains. Comment osait-il ? Elle était furieuse contre lui. Après les propos qu'il lui avait tenus, comment osait-il la traiter ainsi, comme si elle était sa propriété ?

Il ne l'aimait pas, il se souciait peu d'elle. Elle n'était pour lui qu'un agréable passe-temps, un divertissement d'un jour ou d'une semaine, d'un mois peut-être...

Elle se libéra.

— Laissez-moi, lança-t-elle d'une voix rauque. Je ne vous appartiens pas.

Il avait le regard farouche d'un animal de la forêt.

— Je dois être fou, murmura-t-il, égaré. Oui, je deviens fou...

A ce moment, un appel leur parvint du perron.

— Ben ! C'est toi, Ben ?

C'était Pete. Ben se passa la main sur le front.

— Oui ! répondit-il.

— On vient d'appeler pour toi, il paraît qu'un ours a causé des dégâts du côté de Grant Grove. Il faudrait que tu y ailles tout se suite.

8.

Naturellement, c'était encore Lily. Alléchée par les effluves d'un pique-nique champêtre donné en l'honneur du 4 Juillet, elle avait décidé d'être de la fête.

C'est bien connu, les ours sont d'excellents acteurs. Ils sont parfaitement capables de convaincre une assemblée de non-initiés qu'ils sont sur le point d'attaquer. Ils grognent, montrent les dents, grattent le sol ; les plus courageux s'enfuient. Les malins peuvent alors déguster la nourriture que les hommes leur ont abandonnée.

Bien entendu, ils n'auraient pu tromper Ben, entraîné à discerner si l'agressivité était jouée ou non. Malheureusement, les personnes surprises par Lily à Grant Grove n'avaient pas cette compétence ; elles se sauvèrent en hurlant leur panique et allèrent se plaindre aussitôt aux autorités.

Et la vie de Lily était en danger.

Elle n'en était pas à son premier méfait ; en raison des nombreux dégâts qu'elle avait occasionnés depuis deux étés, il était probable qu'on allait la traquer et l'abattre.

Ben en était malade. Il aimait bien Lily. Elle était envahissante et pénible, mais elle n'était pas méchante. Elle n'avait jamais blessé aucun être humain.

Le temps qu'il arrive à Grant Grove, la tempête s'était apaisée.

— Désolé d'interrompre vos festivités, lui dit le responsable du Parc. C'est encore cette maudite ourse qui a fait des siennes, celle qui a un pelage roux... Lily.

— Vous en êtes certain ?

— Absolument. Elle porte une marque à l'oreille. Et puis je l'ai reconnue, je l'ai déjà vue.

Ben soupira.

— Qu'est-ce qu'elle a fait cette fois, Joe ?

— Elle a avalé six côtes de bœuf et un gâteau au chocolat.

— Eh bien !

— Mais elle a laissé les pommes de terre et la salade.

— Cela suffira-t-il à lui rendre l'estime du quartier général ?

— N'y comptez pas.

Ils allèrent examiner le lieu du crime, discutèrent encore un moment avant de se séparer. Fatigué, Ben remonta dans son camion. Il était presque onze heures. Il fallait vraiment qu'il songe à prendre quelque repos. Cela lui permettrait de reconstituer ses réserves de persuasion pour aller plaider la cause de Lily tôt le lendemain matin.

Alors qu'il était à mi-chemin de chez lui, poussé par une force quasi magnétique, il se vit quitter la voie principale et prendre la petite route qui conduisait à l'auberge. Il fallait qu'il revoie Morgan, qu'il lui parle, c'était plus fort que lui.

Morgan... Elle l'obsédait. Depuis une semaine, il ne se reconnaissait plus.

Ce qui s'était passé dans la forêt lui avait montré combien peu de contrôle il avait sur ses pulsions. Encore un peu, il se laissait aller au désir d'elle qui le torturait. C'était sa faute à elle aussi ; elle s'était montrée si tentatrice, si merveilleusement sensuelle... Pour la renvoyer chez elle, il avait dû faire appel à tout ce qu'il possédait de volonté.

Le lendemain, le destin s'en était mêlé. Il était venu lui rendre visite, et elle dormait profondément, comme la princesse du conte. Au pied de son lit, amusé et charmé, il avait compris qu'il serait épargné une seconde fois.

Pour se remettre les idées en place, il était allé camper loin de toute civilisation. Il avait passé une semaine en la seule compagnie de ses vieux amis, les oiseaux et les ours. Cela l'avait aidé — un peu. La nuit, allongé sans dormir sous le paysage des étoiles, il pensait encore à Morgan, toujours à Morgan... Elle lui plaisait infiniment. Elle l'attirait. Mais il ne voulait pas s'engager. Il doutait trop profondément de pouvoir recommencer une autre histoire d'amour. Finalement, toutes ses réflexions aboutirent à cette conclusion : il ne pouvait pas renoncer à elle, mais il lui exposerait franchement le conflit qui le déchirait.

Ce qu'il avait tenté de faire ce soir. Et il n'aurait pu plus mal s'y prendre. Il n'avait pas su exprimer la complexité de ce qu'il ressentait. Il l'avait offensée. Pire encore, il était devenu si horriblement jaloux de ce Townsend qu'il en avait perdu la tête. Le résultat était que Morgan était furieuse contre lui.

Il devait réparer ce gâchis. Lui expliquer sa conduite, lui ouvrir son cœur...

Il était arrivé. Il rangea son véhicule.

— Après ton départ, je t'ai traitée de tous les noms imaginables.

— Je m'en doute, Scott.

Ils étaient assis côte à côte sur les marches de bois à l'entrée de chez elle. Ils avaient dansé, puis elle avait permis à Scott de la raccompagner jusqu'à sa porte. Elle n'avait pas oublié sa promesse de l'écouter jusqu'au bout. Expliquer le passé ne serait pas vain ; cela leur permettrait peut-être de se pardonner mutuellement et de rester amis.

— Personne jamais n'avait osé me résister, Morgan, tu comprends ? Le coup a été dur pour moi, qui étais tellement bouffi d'orgueil. Je te reprochais d'avoir gâché ta carrière, d'avoir saccagé notre avenir. Je rejetais sur toi seule la responsabilité de tout.

— Je sais.

— Pauvre chérie !

Gentiment, il resserra autour de son cou le cardigan qu'elle avait jeté sur ses épaules.

— Je t'ai fait passer de durs moments !

— J'ai survécu.

— Oui, heureusement. Moi, j'ai essayé de toutes mes forces de t'oublier. J'ai déchiré tes photos. Je suis sorti avec d'autres femmes. J'ai acheté une nouvelle voiture. Je me suis jeté dans le travail avec une telle frénésie que j'ai obtenu une nouvelle promotion.

— Félicitations.

Il haussa les épaules, comme si cela n'avait pas réellement d'importance.

— Rien n'a pu me guérir, rien. J'étais une épave. Finalement, je me suis décidé à aller consulter ce psychothérapeute..

— Toi ? Tu as toujours été contre !

— Au point où j'en étais, j'aurais essayé n'importe quoi. Nous avons eu quelques séances, et puis j'ai accepté de participer à un week-end de thérapie de groupe, qu'il organisait dans son cabinet.

— Scott, tu me stupéfies ! Tu n'avais que mépris pour toutes ses méthodes !

— Eh ! oui. Et tu sais ce qui s'est passé ?

— Non.

— Tous les membres du groupe m'ont dit la même chose que toi. Que j'étais un fou du travail, que je voulais régenter tout le monde, que j'étais beau parleur, superficiel, égocentrique...

— C'étaient de vieilles relations à toi ?

— Tu peux rire ! Morgan, crois-tu que tu pourras me pardonner ?

Elle contempla ses yeux brillants, son air malheureux.

— Tu sais, c'était autant ma faute que la tienne.

— Comment cela ?

— Quand je t'ai connu, j'étais seule et désorientée. Je cherchais quelqu'un qui me dirait comment agir, qui me prendrait en main.

— Et tu m'as trouvé.

— Exactement.

— Mais tu as évolué très vite, et moi, je n'ai pas voulu te lâcher. Je ne l'ai même pas envisagé, égoïste que j'étais. J'ai changé, Morgan, je suis différent.

— Je te crois, Scott.

Elle lui tapota le bras.

— Je crois que cette psychothérapie t'a été bénéfique.

— Je le pense aussi. Je ne prétends pas que ma personnalité en ait été transformée. Ce serait ridicule. Je resterai toujours ambitieux et je suis encore dominateur. Mais à présent au moins, je sais écouter.

— C'est énorme, Scott.

— Morgan... Je t'ai valu des heures difficiles, je le sais. Néanmoins... je voudrais te prier d'envisager de me donner une seconde chance.

Elle s'était demandé s'il en viendrait là. Maintenant qu'il avait formulé la question, elle ne savait que dire.

— C'est que je... enfin, je n'ai pas...

— Je veux seulement que tu y réfléchisses. Quand tu seras prête à revenir à Los Angeles...

— Oh ! Je ne suis pas prête à revenir ! J'ai promis que je resterai ici jusqu'à la naissance du bébé de Hallie, en septembre.

— Je ne te presse pas.

— Ecoute, Scott, il y a...

Elle voulait lui parler de Ben. Mais que lui dire, quand leurs relations étaient si déconcertantes ?

— J'y pense, s'écriait-il en lui saisissant la main, tu sais ce qui se passe en ville, à propos de la campagne pour *Adonis* ?

— Non.

— C'est un succès démentiel ! Tes slogans sont affichés partout. Et je ne parle pas des revues ! Tu ne les as pas lues ?

— Tu sais, ici, nous sommes un peu en retard. Nous vivons en dehors du temps.

— Eh bien, figure-toi que dans la presse, on ne voit que tes annonces !

— C'est vrai ?

— Si c'est vrai ? Les ventes du produit ont littéralement explosé ! Bicknell est extatique ! Il chante tes louanges par toute la ville !

— Ce n'est pas possible ! Bicknell ?

— Lui-même. Il est venu l'autre jour au bureau, il voulait absolument te voir. Weinstein et O'Connor ont cherché à gagner du temps. Ils ne veulent pas lui dire que tu as démissionné, ils craignent de perdre sa clientèle. Ils prétendent que tu es en vacances en Europe.

— Quelle bande de vautours !

— Attends-toi à ce qu'ils débarquent ici un jour pour te supplier de revenir.

Morgan se mit à rire.

— Tout cela est si absurde ! J'ai peine à le croire... Quand je pense que je me suis torturé l'esprit pour cette campagne qui ne m'inspirait pas du tout ! J'ai cru devenir enragée !

— Etonnant, n'est-ce pas, la façon dont les choses ont tourné ?

Ben perçut le son des voix et des rires alors qu'il était à mi-chemin de la cabane. La fête n'était donc pas finie, se dit-il. Dommage, il avait espéré la voir seule.

Il avança encore de quelques mètres, et la vit assise sur

les marches, avec ce Townsend. Main dans la main, ils riaient tous les deux. La jalousie le transperça. Sur le chemin où la lune dispensait des taches de lumière à travers les arbres, il s'immobilisa, pétrifié. Puis il tourna les talons pour s'enfuir.

Trop tard. Morgan l'avait aperçu.

— Ben ! cria-t-elle en se levant.

Il pivota lentement pour lui faire face.

— Que s'est-il passé avec les ours ? Vous n'êtes pas blessé ?

— Non, ça va. Ça va pour tout le monde, sauf pour Lily.

— Lily ? Qu'est-ce qu'elle a fait encore ?

— Je n'ai pas l'impression que cela vous intéresse tellement ! Navré de vous avoir dérangée. Je vous verrai une autre fois, si c'est possible.

— Pas du tout, je veux savoir tout de suite ! Voici une semaine que je travaille sur cet article, et j'y ai inclus plusieurs anecdotes concernant Lily. Alors, vous pensez si cela m'intéresse !

— Eh bien, malheureusement, je crois qu'elle a commis un méfait de trop. J'ai des craintes pour elle.

— Vous voulez dire que... qu'on pourrait l'abattre ?

— C'est possible. A moins que je ne réussisse à convaindre les responsables de me laisser essayer autre chose.

— Quoi ?

— La déplacer, par exemple. On la capture, on l'endort et on la transporte en un point éloigné d'ici.

— Vous croyez qu'ils accepteront ?

— Ce n'est pas sûr.

Il jeta un coup d'œil aigu à Scott et fit à nouveau mine de partir.

— Nous verrons bien. Bonsoir. Je vous tiendrai au courant.

— Bonsoir, lança Scott, visiblement ravi qu'il s'en aille, et bonne chance !

— Ben, attendez !

Elle courut derrière lui, posa la main sur son épaule. Il se figea sur place.

— Vous ne voulez pas jeter un œil sur cet article ?

— Donnez-m'en un double, je l'emporterai.

— Je l'ai écrit à la main, ce n'est qu'un brouillon. Si vous vous installiez à mon bureau pour le lire ? Ce ne sera pas très long.

— Il est tard.

— Mais la date de remise approche terriblement, et il y a une semaine que j'attends votre avis ! A ce stade, j'en ai absolument besoin pour avancer.

Ben hésita. Il craignait de perdre son sang-froid s'il restait plus longtemps à argumenter.

— D'accord, grommela-t-il. Où est l'article ?

— Dans le dernier tiroir à gauche de mon bureau. Prévenez-moi quand vous aurez terminé.

Ben passa devant Scott médusé, s'engouffra dans la maison dont il referma la porte.

Eclairé d'une lampe rose, l'endroit était accueillant, intime. Tout ici parlait de Morgan : ses fleurs sur la table, ses livres empilés à terre, ses tennis d'une taille ridiculement petite devant le feu. Il s'avança vers le bureau en marmonnant. Elle avait laissé son châle drapé sur le siège. Il le prit. L'odeur subtile qui s'en dégageait assaillit ses sens. D'un geste rageur, il lança le châle à travers la pièce. Il atterrit sur le canapé.

« Dernier tiroir à gauche », se répétait-il. Il l'ouvrit, en sortit un dossier et s'assit pour lire l'article.

Lorsque la pluie s'enfuit
Et que le soleil vient
Tu t'insinues en mon cœur
Secrètement, silencieusement
Tu t'y épanouis,
Tu y prends tes aises.

Les portes de mon jardin
Avaient dû rester entrouvertes
Sans que j'y aie pris garde
Tu as tout envahi
Le parfum entêtant de ton nom
Résonne en moi à l'infini

Je me rebelle, je t'ignore,
Je te chasse, je ferme la porte.
Mais le parfum entêtant de ton nom
Résonne en moi à l'infini,
Comme le vent, comme la pluie,
Comme le battement insensé de mon sang.

Ben fixait la feuille sans comprendre. Quel rapport ce texte avait-il avec la préservation des espèces sauvages ? Il le relut une deuxième fois. C'était bien un poème d'amour. Il parcourut les autres feuillets.

Le dossier ne contenait aucun article, seulement des poèmes. Etait-ce Morgan qui les avait écrits ? Ils étaient manuscrits, d'une jolie écriture souple.

Fasciné, il en lut un autre, puis un autre encore. Ils étaient touchants, sensuels, pleins d'émotion. La dame avait du talent. Et apparemment, elle était très amoureuse... de quelqu'un.

— Je vais te dire au revoir, Scott, j'ai encore à travailler ce soir.

— Si tard, même un jour de fête ?

— Eh oui, une date limite est une date limite.

— Ce scientifique, qu'est-il pour toi, Morgan ?

— Un ami.

Scott se leva, lui prit la main.

— Je t'aime, Morgan. Ne tombe pas amoureuse d'un autre.

— Scott...

— Je sais, je sais. J'ai promis que je ne te presserais pas, et je tiendrai ma promesse. Tu m'écriras, dis ? Tu me diras ce que tu comptes faire, quand tu te seras décidée.

— Bien sûr.

— C'était bon de te revoir, chérie.

— Pour moi aussi, Scott.

Il lui baisa la main et s'en alla. Elle était heureuse de leur conversation. Elle dissipait entre eux tout reste d'amertume.

Reviendrait-elle à Scott ? Elle n'en savait rien. Pour le moment, elle était si ridiculement amoureuse de Ben que rien d'autre ne paraissait possible.

Pourtant, Ben ne lui avait laissé aucun espoir quant à l'avenir. *Je ne veux plus m'engager dans une relation durable, je tenais à ce que vous le sachiez*, avait-il dit avec insistance.

Tout cela était fou.

D'un côté Scott, qui lui offrait ce dont elle avait toujours rêvé. De l'autre Ben, qui ne lui offrait rien, sinon l'éventualité d'une brève aventure. C'était une histoire absurde, et frustrante pour tout le monde. Scott l'aimait. Elle aimait Ben. Quant à Ben... il aimait un fantôme : Mary.

Elle se frotta le front. Elle haïssait cette jalousie qu'elle ressentait. Elle n'était pas jalouse de l'amour qu'il avait porté à sa femme. Mais pourquoi se fermait-il, au nom d'un amour passé, à l'amour qu'elle lui offrait, elle, Morgan ?

Il la désirait, bien sûr. Après tout, elle avait sur un fantôme l'avantage d'être de chair et de sang. Pourquoi s'interdisait-il de l'aimer comme elle l'aimait ?

Certes, elle pourrait succomber à la tentation de se donner à lui. Ils vivraient une aventure passagère, et elle en serait profondément meurtrie, elle le savait. Dans ces conditions, il valait mieux ne rien commencer. Elle résisterait à cette tentation, quoi qu'il lui en coûte. Il ne devrait jamais savoir à quel point elle l'aimait. Il devrait continuer à l'ignorer.

Car il ne connaissait pas son amour. Il n'en avait vu qu'une brève flambée de désir, un soir dans la forêt. Brève, inattendue, et vite oubliée. Elle le maintiendrait dans cette illusion, cela la préserverait de trop grandes souffrances. Il ne saurait pas.

Elle guetta un mouvement à l'intérieur de la cabane. Ben devait avoir terminé sa lecture, depuis tout ce temps! Intriguée, elle entra.

Assis au bureau, il lui tournait le dos. Il avait la tête dans les mains, et paraissait plongé dans son texte.

— Alors, docteur Gerard, qu'en pensez-vous?

— Je pense que... c'est remarquable.

— Vraiment? Oh! Je suis contente. Ce n'est qu'un brouillon, vous savez.

— Vous écrivez très bien.

— Merci.

Elle prit un siège.

— Et... heu... avez-vous bientôt fini?

— J'ai relu l'ensemble deux fois.

— Je me disais aussi que vous preniez du temps!

Il ferma le dossier et se tourna vers elle, lentement. Elle lui trouvait l'air un peu étrange. Sous ses sourcils froncés, ses yeux brûlaient. Il devait se tourmenter beaucoup pour Lily.

— Morgan, pourquoi me montrez-vous ceci?

— Mais... parce qu'il en était grand temps, vous ne croyez pas? Je ne...

— Qui est-ce?

— Ben! Que voulez-vous dire?

— De qui est-il question?

— De qui? Eh bien... de Lily, de Blondie, de l'*Ursus americanus* en général, il me semble?

Il prit un feuillet, en lut la première ligne. Morgan sentit son cœur se contracter. C'était l'un des poèmes qu'elle avait écrits en pensant à lui.

— Où avez-vous trouvé cela ? dit-elle, la voix blanche.

— Dans le dernier tiroir à gauche du bureau.

Elle jaillit de son fauteuil.

— C'est impossible ! cria-t-elle. Impossible !

Elle bondit vers le bureau, ouvrit avec violence le dernier tiroir et en sortit le dossier contenant son manuscrit.

— Le voilà ! s'exclama-t-elle. Le voilà, votre malheureux article !

Elle le jeta sur la table, lui arracha les poèmes. Elle se sentait humiliée, au bord des larmes.

— Comment avez-vous osé ? Comment avez-vous pu ?

— Le dossier était dessus. J'ai cru que vous vouliez que je le lise.

— Non, je ne le voulais pas ! Prenez ce maudit article et allez-vous-en !

— Il faut que nous ayons une conversation !

— Demain !

— Non, tout de suite ! Je veux savoir. Qui est l'inspirateur de ces poèmes ?

— Cela ne vous regarde pas !

Elle se détourna. S'il n'avait pas deviné, un coup d'œil sur son visage le renseignerait.

Il la saisit aux épaules.

— Morgan ! C'est moi ?

— Non !

— Dites-le-moi, Morgan.

Il la pressait avec une insistante douceur. Elle avait envie de jeter ses bras autour de son cou, de se blottir contre lui, et de lui avouer la vérité.

— Est-ce moi, dites ?

— Avez-vous perdu l'esprit ? fulmina-t-elle. Quelle idée ! Et quelle prétention !

— Morgan...

— Non, ce n'est pas vous ! Je... j'ai écrit ces poèmes il y a longtemps... pour quelqu'un que j'aimais...

— Townsend ?

— Vous n'aviez aucun droit de les lire ! Comment auriez-vous pu les inspirer ? C'est évident dès la première ligne !

— C'est Townsend ?

— Lâchez-moi ! Je n'ai pas à vous répondre, Ben Gerard !

Il la repoussa brusquement.

— A quoi jouez-vous avec moi, Morgan ?

— Comment ?

— L'autre nuit, dans la forêt, par exemple ?

— Oh, ça ! C'était amusant. Je me suis amusée, pas vous ?

— Et aujourd'hui, ce soir ? Vous vous amusiez aussi ? Vous espériez rendre Townsend jaloux de moi ? Ou moi jaloux de Townsend ?

— Partez, Ben !

— Vous vous êtes réconciliée avec lui ? Vous êtes de nouveau fiancés ?

Il lui avait repris le bras, qu'il serrait à lui faire mal. Elle se dégagea d'un geste rageur.

— Il me traite mieux que vous ! cria-t-elle. Il m'aime. Il veut m'épouser.

Sans voix, Ben la dévisagea fixement, les yeux égarés.

— Pourquoi ne devrais-je pas préférer Scott, voulez-vous me le dire ? poursuivit-elle avec véhémence. Vous, vous ne m'aimez pas du tout. Vous n'en êtes pas capable. C'est vous qui jouez avec moi, et vous seul. Vous vous conduisez comme si vous aviez un droit de propriété sur moi, alors qu'il n'y a strictement rien entre nous.

— Rien du tout ?

— Je ne nie pas une certaine attirance physique, si c'est à cela que vous pensez. Mais cela ne compte pas pour beaucoup.

— Morgan...

— Rentrez chez vous, Ben ! Oublions le petit épisode de l'autre nuit. C'était une erreur, une bêtise, et c'est fini. Nous ne nous valons rien l'un à l'autre, je le crains. Maintenant, de grâce, partez !

9.

Le surlendemain, dans l'après-midi, Ben apparut à l'auberge. Morgan était occupée à mettre à jour les registres de comptabilité. Il posa sans cérémonie le manuscrit sur son bureau.

— Voilà, j'y ai ajouté quelques annotations.

Morgan le regarda à la dérobée. Il avait l'air fatigué et lointain — et il était plus beau que jamais. Il avait rasé sa barbe. Dans son visage fermé, soigneusement dénué de toute expression, ressortaient ses hautes pommettes indiennes et cette bouche sensuelle qu'elle aimait tellement.

Elle feuilleta rapidement l'article.

— Bon, je vois qu'il y a peu de corrections importantes.

— Vous êtes une vraie professionnelle.

— Merci. Je taperai l'article ce soir, vous pourrez le poster demain.

— Ce n'est pas la peine. Dave Buchanan, mon éditeur et ami, sera là vendredi. Je le lui remettrai en mains propres.

— Il vient ici ?

— Il arrive de San Francisco avec un photographe. Ils veulent photographier la capture de Lily et son transfert. S'ils y parviennent, cela illustrera magnifiquement l'article.

— Qu'est-ce que vous dites ? Oh, Ben ! Cela signifierait que vous avez remporté votre cause ? Lily va être sauvée ?

— Oui.

Un faible sourire adoucit ses traits.

— Ben, c'est merveilleux !

Repoussant sa chaise, elle avait bondi sur ses pieds.

— Toutes mes félicitations !

Elle s'élança impulsivement vers lui, puis se rappela... et demeura toute raide à quelques pas de lui, embarrassée.

Sa gêne n'avait pas échappé à Ben. Il se rembrunit, enfonça ses mains dans ses poches.

— Vous devriez venir aussi, dit-il d'un ton bourru. Vous pourriez observer la capture, guider le photographe. Il serait bien que vous écriviez quelques légendes pour accompagner ces photos.

— D'accord.

— Très bien. Je vous préviendrai.

Il appela le samedi matin, très tôt. A l'aube, Lily avait trébuché dans la trappe qui lui était destinée. Ben alerta immédiatement ceux que la capture concernait. Tout ensommeillée, Morgan se hâta vers le lieu du rendez-vous.

L'action fut conduite avec une aisance remarquable. Malgré sa résolution de demeurer impassible et professionnelle, Morgan ne put s'empêcher d'admirer chacun des gestes de Ben. Elle nota la précision, l'habileté, la tendresse avec lesquelles il manipulait l'animal pris au piège. Il endormit Lily à l'aide d'une seringue fixée à une longue perche. Puis il dirigea toutes les phases de l'opération, qui fut menée à bien et terminée longtemps avant que Lily ne s'éveille.

Ils s'assirent tous au milieu d'une clairière ensoleillée et burent une bière pour fêter ce succès.

— J'ai lu votre article, dit Dave Buchanan à Morgan. Il est drôlement bien. Vous faites une bonne équipe, vous et Ben.

— Je... merci, balbutia Morgan qui avait rougi. Nous ne nous sommes associés que pour ce seul projet, en fait. Nous ne formons pas une équipe à proprement parler.

— Eh bien, vous avez tort. J'ai beaucoup de travail pour lui. J'espère le convaincre un jour de collaborer à la revue. Mais il ne veut pas écrire, c'est une idée fixe chez lui.

— Je sais. Il a une aversion pathologique pour la feuille blanche.

— A qui le dites-vous! L'année dernière, nous lui avons proposé un contrat pour un livre. Nous y avons intéressé un publicitaire. Il vous l'a dit?

— Non, mais il me semble avoir entendu ma sœur le taquiner à propos d'un livre qu'il avait à écrire.

— L'offre est toujours valable. Cet homme-là en sait plus sur les ours et autres animaux sympathiques que n'importe qui dans ce pays. Il faut qu'il fasse partager sa science. Je pense qu'un tel ouvrage aurait un grand succès.

— Je vous souhaite bonne chance. Si vous arrivez à le persuader de signer un contrat...

Dave prit le bras de Morgan avec un air de conspirateur.

— Miss McKenna... Morgan, pourquoi ne lui parleriez-vous pas?

— Je vous demande pardon?

— Qui saurait mieux le convaincre que vous? Vous pourriez collaborer, comme pour cet article. Il apporte le contenu, vous apportez la forme.

Elle secoua la tête.

— Non, je regrette. Cela ne marcherait pas.

— Bien sûr que si! Tous les deux, vous vous complétez admirablement. Et je m'y connais.

— Dave...

— Chut! J'ai vingt ans de métier, je sais de quoi je parle. Ben a l'expérience, et il est un conteur né. Seulement il est un peu sauvage. Il a vécu trop longtemps seul dans les bois. Il a besoin de quelqu'un qui le civilise, qui le discipline, qui le stimule aussi.

— Peut-être. Mais ce ne sera pas moi, je le crains.

— Pourquoi pas? Vous êtes une femme de tête, et vous êtes adroite.

— Peut-être, mais...

— Et en plus, vous êtes ravissante. Comment un homme pourrait-il vous résister?

— Dave!

— Bon, bon, d'accord.

Il leva comiquement les deux mains en signe de capitulation moqueuse.

— Je ne vous suggère pas de l'épouser. Seulement d'écrire ce livre avec lui. Trois cent cinquante pages, ce n'est pas le bout du monde! Faites-le pour la postérité.

— Vous êtes un démon!

— Moi? Je sais reconnaître une association idéale quand j'en rencontre une, c'est tout!

Pouvait-elle lui dire que cette « association », idéale ou non, était en miettes? Après s'être acquitté des présentations indispensables, Ben l'avait ignorée tout l'après-midi.

Comme elle venait de monter dans sa voiture pour rentrer à l'auberge, il se manifesta enfin. Il toqua à la vitre. Elle la baissa, le cœur dans la gorge.

— Oui?

— Votre chèque.

Il fouilla sa poche et lui tendit l'objet.

— Nous étions convenus de cinquante pour cent. C'est bien cela?

— Oui. C'est parfait.

Elle prit le chèque d'une main tremblante. Il partit sans

ajouter un mot. Morgan demeura immobile, à regarder fixement le rectangle de papier. Puis elle se mit à pleurer.

C'était vraiment fini. L'article était terminé, ils n'auraient plus de raisons de se voir. Ben éviterait l'auberge tant qu'elle y serait.

Elle inclina la tête, l'appuya sur le volant. Les grosses larmes qui roulaient sur ses joues vinrent barbouiller l'encre du chèque.

Le temps passa. On était maintenant en août. Morgan avait vu juste : Ben s'était soigneusement abstenu de reparaître à l'auberge. Selon Pete, il campait à présent dans les terres sauvages de King's Canyon, où il surveillait Lily de loin en loin, par radio. A l'instigation de Hallie, Pete formait le projet de le rejoindre quelques jours.

— Tu travailles toute la journée, et tu descends ici pour passer tes soirées avec moi ! le grondait-elle. C'est trop. Pourquoi ne pas rejoindre Ben quelques jours ? Ah ! non, ne recommence pas. Tu n'as aucune raison de t'inquiéter pour moi. Mon infirmière ne me quitte pas, et puis cet enfant n'est attendu que dans un bon mois !

Finalement, Pete s'était décidé à lui obéir. Le sac à dos bouclé, il s'apprêtait à partir.

— Tu es sûre que tu sauras te débrouiller ? demanda-t-il à Morgan pour la centième fois.

— Absolument.

— Tu as un message à me confier pour Ben ?

— Non.

— Pas la moindre petite pensée amicale ?

— Absolument rien.

— Qu'est-ce qui se passe, petite ? Tu avais l'air si gaie le 4 Juillet ! Vous avez eu une dispute ?

— Cela ne te regarde en rien, mon cher beau-frère.

— Je sais, mais... Tu as l'air triste, Morgan.

— Pas du tout.

— Si, si, tu es triste. Puisque tu ne veux pas me dire pourquoi, je le demanderai à Ben.

— Si tu fais cela, fulmina-t-elle, je ne te parle plus !

— Oh ! se plaignit-il en riant. Vous autres, les filles McKenna, ce que vous êtes autoritaires !

Il tira une carte de sa poche.

— Regarde, s'il y avait un problème, je serai ici.

— Merci, Pete. Passe un bon moment.

Elle triait le courrier quand il était entré. Elle l'accompagna jusqu'au seuil et lui dit au revoir sans lâcher les deux lettres qu'elle tenait en main. Elle pensait à Ben. Comment parvenir à ne plus penser à Ben ?

Elle regarda les lettres qu'elle tenait, et sursauta. Elles lui étaient adressées. Elle ouvrit la première.

Chère Miss McKenna,

Vous avez commis une folie en nous quittant, mais vous en commettriez une plus grande encore en ne revenant pas. Je ne suis pas sûr que vous ayez suivi l'actualité ; sachez-le, la campagne que vous avez conçue pour *Adonis* est un succès beaucoup plus grand qu'aucun de nous ne pouvait le prévoir.

J'aimerais que vous m'appeliez au reçu de cette lettre. Je suis disposé à vous offrir une meilleure position chez nous, assortie d'une augmentation substantielle. Je suis convaincu que vous avez un avenir passionnant dans notre maison. Je serai personnellement heureux de vous compter à nouveau parmi mes collaborateurs.

Meilleurs sentiments,

Sid Weinstein

Voilà qui était flatteur pour son amour-propre, et très revigorant pour l'estime qu'elle avait d'elle-même, en piètre état après cette fameuse campagne ! Scott ne s'était pas trompé, en fin de compte. L'autre lettre était de lui.

Chère Morgan,

J'ai dit que je ne te presserais pas, soit. Mais je peux t'encourager, non ? Chérie, je pense à toi et j'espère. J'espère que tu vas revenir à la fin de l'été. J'espère que tu as pensé à nous.

Te revoir a été déterminant pour moi. Je suis résolu à faire l'impossible pour notre couple. Tu sais, je suis maintenant un peu plus vieux, et beaucoup plus sage ; je l'espère du moins.

J'attends de tes nouvelles.

Scott

— En quoi cela remet-il ton avenir en cause ? s'écria Hallie comme sa sœur lui relatait ces événements au téléphone. Tu as laissé cette vie-là derrière toi, pourquoi y reviendrais-tu ? Qu'est-ce que tu fuis, Mary Morgan ?

— Je ne fuis rien du tout ! Et puis, la situation est entièrement différente !

— En quoi ?

— Sur le plan du travail, j'aurais beaucoup plus de responsabilités. Je pourrais choisir mes projets, décider de la ligne à tenir...

— Tu as vraiment envie d'être une publiciste ?

— Il faut bien que j'aie un métier ! Je ne peux pas rester ici toute ma vie, à ceuillir des baies et à couper du bois !

— Et Dave Buchanan ? Il était intéressé par ton travail.

— Ce qui intéresse Dave, c'est ma participation à un travail d'équipe. Avec Ben.

— Ah, Ben ! Je savais que ce nom allait venir. Dis-moi, es-tu tombée amoureuse de lui ?

— Non ! Je t'ai dit...

— Tu ne m'as pas dit grand-chose, Mary Morgan, et je pense que tu as omis l'essentiel. Bon, prenons la question autrement. Es-tu amoureuse de Scott ?

— Eh bien... il a changé, tu sais. Vraiment changé. Il est allé voir ce psychothérapeute et...

— Oui, tu me l'as dit.

— Tu comprends, tout ce qui posait un problème entre nous, tout ce que je pouvais lui reprocher...

— A soudain mystérieusement disparu?

— Je ne dis pas cela, je ne sais pas encore... Je ne le saurai qu'en passant quelque temps avec lui. Il semble tenir vraiment à moi maintenant, et vouloir la même chose que moi.

— C'est-à-dire?

— Le mariage, un vrai foyer, un amour profond pour toute la vie.

— Tu l'aimes?

— Je crois que je devrais lui accorder une seconde chance.

— Tu l'aimes? Du plus profond de ton cœur?

Morgan soupira douloureusement, sans répondre.

— Alors, tu vois...

— Oh! Hallie, je suis si désemparée! Je ne sais que décider... Que dois-je faire?

— Ne désespère pas. Tu en sortiras. Et tu trouveras un travail. L'important, c'est que ce travail te plaise.

— Je le sais.

— Quoi que tu dises, chérie, je sens que quelque chose te rend très malheureuse.

Morgan sentit sa gorge se serrer. Les émotions qu'elle avait réfrénées depuis des semaines menaçaient de la submerger. Pendant quelques instants, elle fut incapable d'articuler un mot.

— C'est Ben? interrogea Hallie avec douceur, après un moment de silence.

— Oui, souffla Morgan.

— Tu veux me dire ce qui s'est passé?

Dans un débit haché, Morgan lui raconta toute l'histoire. Ses sentiments pour Ben. Le refus catégorique de Ben de s'engager. Les poèmes qu'elle avait écrits, et qu'il avait découverts. Et comment elle avait menti.

— Il est encore amoureux de Mary, conclut-elle en essuyant une larme. Je ne suis pour lui qu'une petite diversion.

— Ah ! là là, quel gâchis... Tous les deux, vous piétinez votre bonheur à qui mieux mieux.

— Je ne comprends pas. Que veux-tu dire ?

— Apparemment, Ben est mortellement jaloux d'un homme... dont tu n'es pas amoureuse. Et toi, Mary Morgan, tu laisses le champ libre à un fantôme.

— Mary est encore bien vivante — dans son cœur.

— Oh ! je ne doute pas qu'il l'ait aimée. Il l'aime peut-être encore, il l'aimera sûrement toujours. Ce n'est pas une raison pour qu'elle soit ta rivale.

— Tu trouves ?

— Oui ! Le cœur humain est capable d'éprouver toutes sortes d'amours.

— Mais Ben refuse l'idée même...

— Il a peur.

— Quoi ?

— Eh ! oui. Il escalade des montagnes, il pilote des hélicoptères et il parle à des ours, mais il a peur d'aimer. Il faut que tu l'aides.

— De quelle façon ?

— En ayant du courage pour deux. Ne renonce pas. Fais-lui savoir quels sont tes sentiments pour lui.

— D'où te vient ta sagesse, Hallie ?

— La sagesse est le secret des femmes enceintes, tu sais bien ! Quoi d'étonnant ? Nous portons en nous tous les mystères de l'univers.

— Tout de même, Hallie, il m'a affirmé par deux fois qu'il ne se remarierait jamais ! Il a beaucoup insisté là-dessus ! Comment ne pas le croire ?

— Réfléchis, Mary Morgan. Il a été bouleversé, et maintenant il se montre très distant. Crois-tu qu'il agirait ainsi s'il ne tenait pas à toi ?

— Peut-être pas, mais...

— Alors qu'est-ce qui t'arrête? La poltronnerie? Ou ton fameux orgueil?

— Et si tu te trompes, Hallie? Si nous nous trompons toutes les deux? Aller le trouver et lui avouer que je l'aime... Et s'il ne ressent rien pour moi, que du mépris? C'est un tel risque!

— Bien sûr! Mais si tu désires quelque chose de toutes tes forces, cela vaut la peine de prendre ce risque. Cela vaudrait la peine de traverser l'enfer pour l'obtenir. Crois-moi, je le sais.

L'accent poignant de Hallie vint distraire Morgan de ses préoccupations personnelles. Chère Hallie, qui s'oubliait complètement alors qu'elle menait jour après jour une grossesse difficile, risquant sa vie pour mettre au monde son enfant...

— Tu as raison, Hallie. Je dois me montrer aussi courageuse que toi, qui te bats pour ton enfant. Quand Ben reviendra, je l'appellerai, je te le promets. Hallie?

A l'autre bout de la ligne, le silence se prolongeait. Hallie, d'habitude si loquace, ne trouvait plus rien à dire.

— Hallie? Tu seras avec moi, dis? Tu me remonteras le moral s'il me rejette?

Pas de réponse. Morgan se demanda un instant si la communication n'avait pas été coupée.

— Allô? Hallie, tu es là?

— Miss McKenna?

La voix de l'infirmière.

— Oui, que se passe-t-il?

— Votre sœur vient d'avoir un malaise.

— Oh, mon Dieu! C'est ma faute, je l'ai dérangée, agitée. Je l'ai fatiguée avec mes problèmes.

— Non, non, vous n'y êtes pour rien. Cela a commencé avant votre appel, elle ne se sentait pas très bien. Son mari est-il là?

— Non, malheureusement. Il est parti camper.

— Avez-vous un moyen d'entrer en contact avec lui?

— Ce n'est pas certain. Pourquoi ?

A nouveau le silence. Morgan attendit une réponse anxieusement.

— Miss McKenna, reprit la voix de l'infirmière, si grave soudain que Morgan fut saisie de frayeur, nous partons pour l'hôpital. Si vous pouvez trouver M. Brundin, je suggère que vous nous y rejoigniez.

— Est-ce que le bébé arrive ?

— C'est possible, je ne peux pas vous le dire avec certitude. Je ne peux prolonger cette conversation, excusez-moi. Nous devons partir tout de suite.

Elle raccrocha. Morgan resta pétrifiée, la main crispée sur le récepteur. Elle était incapable d'esquisser le moindre mouvement.

Que faire, que faire ? Combien de temps s'était-il écoulé depuis de départ de Pete ? Une heure ? Davantage ? Elle avait eu le temps de lire deux fois les lettres, puis de boire une tasse de thé avant de décider d'appeler Hallie. Sans aucun doute, Pete avait déjà parcouru un bon bout de chemin. Elle prit fiévreusement la carte qu'il lui avait laissée et se mit à l'étudier.

Il avait tracé au crayon l'itinéraire qu'il comptait prendre. Vers le nord d'abord, la route de Grant Grove. Puis vers l'est, celle qui s'enfonçait dans King's Canyon. Il laisserait sa voiture dans la zone qu'il avait marquée d'une croix rouge, puis il continuerait à pied, à l'aventure.

— Il faut que je le rattrape, se murmura-t-elle à elle-même. Il faut absolument que je le trouve. Et le plus vite possible !

Cinq minutes plus tard, elle était sur la grand-route. Malheureusement pour elle, l'après-midi était belle et le Parc plein de touristes. Alors qu'elle voulait filer comme le vent, elle se trouva sans cesse ralentie par une succession de camions et de caravanes. Son angoisse augmentait de minute en minute.

— Pourvu qu'il s'arrête pour prendre de l'essence ! Ou

pour acheter des provisions, ou pour n'importe quoi ! Mon Dieu, faites qu'il s'arrête !

S'il avait déjà abandonné sa voiture et entrepris sa marche solitaire dans ces territoires où on ne trouvait âme qui vive, elle éprouverait infiniment plus de difficultés à le retrouver, elle le savait.

Bien que ni Pete ni elle n'aient évoqué ce sujet, ils savaient parfaitement tous les deux que, le temps venu, la naissance du bébé serait difficile. Pourtant, en voyant sa sœur en si bonne condition ces derniers temps, et si gaie, Morgan avait fini par se convaincre qu'elle mènerait sa grossesse à terme.

Or, il s'en fallait d'un mois que le terme fût venu. Et si elle était entrée en travail, Hallie réclamerait Pete, c'était bien naturel. Il était la personne au monde qu'elle désirerait le plus avoir auprès d'elle.

Elle continua à chercher anxieusement la vieille Chevrolet. Elle crut l'avoir repérée à Grant Grove, sur un parking. Ce n'était pas la sienne.

Alors que le soleil était déjà bas dans le ciel, elle la trouva enfin, garée à l'endroit exact indiqué sur la carte. Elle se rangea à côté. Pete n'était visible nulle part. Selon toute vraisemblance, il avait pris son sac à dos et s'était enfoncé dans la montagne.

Elle reprit sa carte, la déplia. Logiquement, il ne devait pas être très loin. Il transportait un sac de couchage et au moins dix kilos de provisions ; cela le ralentirait. Elle était libre de tout bagage, elle pourrait donc le rattraper. Elle allait se lancer à sa poursuite.

Elle trouva la piste et s'y engagea. En peu de temps, elle avait atteint une zone complètement sauvage. Le sentier était rocheux, et plus escarpé qu'elle ne s'y attendait. La peur jointe à l'effort qu'elle devait fournir la mirent bientôt hors d'haleine.

— Calme-toi, s'ordonna-t-elle, calme-toi. Tu dois le retrouver !

Elle essuya son front moite, s'obligea à respirer lentement, profondément, et poursuivit son chemin.

Le crépuscule devint nuit. Un quartier de lune se levait. Morgan avait l'impression qu'elle marchait depuis toujours.

— Encore un petit effort, s'encouragea-t-elle. Jusqu'au prochain tournant. Tu y seras bientôt.

A sa droite, tout près, quelque chose remua dans le sous-bois. C'était le bruissement d'un animal qui s'enfuyait en courant, ou d'un oiseau, elle ne savait. Elle avait peur. Elle avait peur du noir, elle devait lutter pour ne pas revenir précipitamment sur ses pas, retrouver l'habitacle rassurant de sa voiture.

— Tu ne peux pas renoncer maitenant ! Non, tu ne peux pas !

Elle serrait les poings dans ses poches. Elle se rappelait la nuit où Ben l'avait laissée seule dans la forêt de séquoias. Que disait-il alors ? *Concentrez-vous. Servez-vous de votre sixième sens.* Elle se répéta ces mots, et elle continua. Un peu plus loin, elle heurta quelque chose de plein fouet : une branche d'arbre qui poussait très bas. Elle trébucha et poussa un cri. Elle avait l'arcade sourcilière écorchée.

Servez-vous de votre sixième sens. Elle reprit son équilibre, et se contraignit à avancer, pas après pas. Elle voulait se fier à ce pouvoir qu'elle n'était pas sûre de posséder, cette intuition dont il parlait. Hallie était à l'hôpital ! Il fallait qu'elle trouve Pete. Elle l'appela. Le nom de Pete lui revint, amplifié par l'écho qui jouait sur les parois du canyon. Elle prit une profonde inspiration. Et elle appela Ben.

Perché sur un rocher dominant le campement, Ben contemplait les étoiles innombrables. Il avait laissé Pete s'installer sous la tente et il était sorti pour admirer le spectacle de la nuit si pure.

Il campait seul depuis presque une semaine. Il avait perdu l'habitude d'avoir de la compagnie. Pete était enjoué et disert. Il voulait tout lui raconter des dernières nouvelles. A l'auberge, c'était l'accalmie pour le moment, mais on attendait beaucoup de monde pour le week-end. Hallie était en excellente forme. Pascal avait inventé un nouveau dessert. Morgan était mélancolique.

Ben avait tressailli. Il ne désirait pas en entendre davantage. Que Morgan soit triste ou heureuse, qu'elle soit repartie pour Los Angeles, mariée ou non, ce n'était vraiment pas son problème. Il ne voulait plus y penser, plus du tout.

Malheureusement, cela s'était révélé impossible. Dès qu'il n'était plus sur ses gardes, elle venait flotter dans ses pensées. Il la voyait, il sentait sa présence, respirait son odeur. Il pouvait presque entendre sa voix, portée par les vents du sud.

— Ben...

— Va-t'en, chuchota-t-il.

— Ben !

Cet appel... Quelque chose le mit en alerte. Il ouvrit les yeux, bondit sur ses pieds. Il y avait quelqu'un là-bas, il en était sûr.

— Hé ! cria-t-il. Par ici !

Bien au-dessus de lui, sur la crête d'un éperon rocheux, une personne apparut. Une femme.

— Ben ?

— Morgan.

Elle agita éperdument les bras. Elle dit son nom avec soulagement. Il la regarda amorcer la descente. Et il la vit tomber.

10.

Le cauchemar recommençait. Ben regardait, impuissant, horrifié. La jeune femme, là-haut... Le corps qui vacillait, qui perdait l'équilibre... les bras qui battaient l'air... la chute tête la première... qui durait... qui durait...

— Non! hurla-t-il.

Il courait maintenant de toutes ses forces. Le bruit des pierres qui roulaient, le râclement affreux d'un corps dont rien ne peut arrêter la chute...

Il la reçut dans ses bras comme elle atteignait le bas de la pente.

— Chérie? murmura-t-il. Morgan?

Elle était inerte, la tête penchée sur sa poitrine, les cheveux emmêlés. Il les repoussa doucement, posa la main sur sa joue.

— Morgan, parle-moi! Parle-moi, je t'en supplie!

Elle n'eut aucune réaction. Le monde avait cessé de respirer. Il s'agenouilla, la berça contre lui.

— Je t'en supplie, répétait-il, je t'en supplie!

Alors, presque imperceptiblement, les paupières de la

jeune femme frémirent. Un instant après, elle les entrouvrit, leva les yeux sur lui, l'air un peu égaré.

— Ben?

Il la tint serrée contre lui. Elle était vivante. Morgan McKenna. Elle était saine et sauve dans ses bras. Mary était morte depuis toutes ces années mais Morgan était vivante. Maintenant. Cette nuit.

— C'est moi, dit-il.

Et il pressa sa bouche dans ses cheveux.

Alerté par le bruit, Pete arrivait en courant.

— Morgan? Que s'est-il passé? Tout va bien?

— Oui, je crois, hasarda-t-elle d'un filet de voix. Je suis un peu… choquée, c'est tout.

— Surtout ne bougez pas, prononça Ben avec sollicitude. Attendez d'être plus vaillante.

— Je vais te chercher du cognac, dit Pete.

Encore tout étourdie, elle s'accrocha à Ben. Il lui caressa les cheveux; il vit la blessure de son front.

— J'espère qu'il n'y a pas de commotion, murmura-t-il en tâtant délicatement, du bout des doigts, la zone endommagée. Quelle idée de courir ainsi, la nuit, dans des régions aussi sauvages!

— J'ai fait comme vous aviez dit, protesta-t-elle doucement, j'ai utilisé mon sixième sens. Il devait être un peu émoussé, car je me suis cognée dans un arbre.

— Petite folle! Je vais vous transporter sous la tente. Vous resterez allongée.

— Non, non, c'est impossible! Il faut que nous partions, tout de suite!

— Pourquoi?

— A cause de Hallie.

— Hallie? Qu'est-ce qui se passe? s'écria Pete qui revenait, une flasque d'alcool à la main.

— On l'a emmenée à l'hôpital. Je crois que le bébé…

Elle parvint à s'asseoir.

— Le bébé arrive.

— Tu plaisantes?

— Non, Pete, je t'assure! J'étais en train de parler avec Hallie au téléphone quand cela a commencé.

— Oh! Pourquoi me suis-je éloigné d'elle?

— Je vais chercher les torches électriques, proposa Ben. Morgan, vous sentez-vous capable de marcher?

— Oui.

— Vous êtes sûre?

Elle se leva en prenant appui sur son bras.

— Cela ira très bien. Ne vous tourmentez pas pour moi.

Il fallait traverser le canyon. Dans le sens de la descente, c'était beaucoup plus facile qu'à l'aller. Ils ne mirent qu'une heure pour atteindre l'endroit où étaient garées les deux voitures. Ils décidèrent de laisser sur place la Fiat de Morgan, et ils montèrent dans la Chevrolet de Pete.

Ben se mit au volant. Morgan s'assit entre les deux amis. De temps en temps, elle prenait la main de Pete.

— Tout ira bien, tu verras, promettait-elle, autant pour elle-même que pour lui. Même un peu avant terme, avec les gènes que vous lui avez transmis, Hallie et toi, ce bébé aura un fort tempérament, j'en suis sûre.

— Ce qui doit arriver arrivera, dit gravement Pete. Cela en valait la peine.

— Ecoute, Pete...

— Je le pense profondément! Les dix années que j'ai vécues avec Hallie ont été les plus belles de toute ma vie. Je n'aurais voulu les manquer pour rien au monde.

— Il y en aura d'autres, Pete.

— Si Dieu le veut, soupira-t-il, si Dieu le veut.

Quant ils arrivèrent à l'hôpital, Hallie était en travail depuis un certain temps. Le Dr Simon restait circonspect.

— Tout est prêt pour intervenir d'urgence si c'est nécessaire. En ce moment, elle tient le coup. Il faut attendre.

Une fois de plus, les petites heures du matin surprirent Ben et Morgan dans le salon d'attente. Ils buvaient du café, espéraient des nouvelles. Pete avait été autorisé à rester près de sa femme.

— Cela ne s'arrête pas... dit Ben.

— Qu'est-ce qui ne s'arrête pas?

— La vie! Des gens meurent, d'autres naissent. Le flot de la vie... cela ne s'arrête jamais.

Morgan le regarda pensivement. Elle comprenait soudain à quel point cela devait lui être difficile d'attendre dans un hôpital, quels souvenirs ce lieu évoquait pour lui.

— Pendant très longtemps, vous savez, j'ai essayé de me tenir en dehors de la vie. Je pensais que j'en souffrirais moins. J'avais aimé Mary de toute mon âme, elle était morte. Je ne voulais plus risquer mon âme, c'était trop douloureux. Alors j'ai commencé à construire ce... cette espèce de mur autour de moi. J'avais des amis, bien sûr, des aventures parfois, mais je m'arrangeais pour que personne ne s'approche trop de moi.

— Je sais.

— C'était idiot, hein?

— C'était compréhensible.

Ben se leva, marcha nerveusement jusqu'à la fenêtre.

— Morgan, ce soir, quand je vous ai vue tomber...

Morgan pressa sa main sur sa poitrine.

— Oui, j'ai été imprudente et... oh! Ben, vous avez cru revivre le même accident...

— Exactement. Et cela m'a fait comprendre à quel point... à quel point je tiens à vous.

— A quel point vous...?

— Et ce mur, ce fameux mur que j'avais maintenu envers et contre tout, ce mur a brusquement craqué.

Morgan le dévorait des yeux, trop confondue pour pouvoir parler.

— Et puis, dans la voiture, quand Pete a évoqué les années de bonheur qu'il a passées avec Hallie, je me suis dit que j'étais un imbécile de me fermer ainsi à la vie, de ne pas retenir cette femme adorable qui était près de moi.

Elle se leva, vint à lui.

— Je vous aime, Morgan. Je t'aime. C'est peut-être un peu tard pour te le dire...

Elle glissa ses bras autour de son cou.

— Non, dit-elle dans un souffle, ce n'est jamais trop tard...

Il l'étreignit. Elle s'abandonna, se laissa aller à ses larmes.

— Ne pleure pas, mon amour.

— Ce n'est pas de tristesse, souffla-t-elle entre deux sanglots. Ben, moi aussi je t'aime, je t'aime tellement...

Il prit ses lèvres avec ferveur. Elle croisa ses doigts derrière sa nuque, berça sa tête entre ses mains. Autour d'eux, le monde n'existait plus. L'hôpital, les lumières, la salle d'attente, tout s'était confondu dans un éclair éblouissant.

— Je t'aime... murmura-t-elle éperdument. Je n'aime que toi...

— Que va dire ton fiancé? souffla-t-il.

— Je n'ai pas de fiancé.

— Mais... et ces poèmes?

— Je les ai écrits pour toi.

— Pour moi? Tu as affirmé avec tant de force que...

— Oui, parce que j'avais honte.

— J'étais tellement persuadé...

— Que Scott les avait inspirés? Pardon de te l'avoir laissé croire, Ben. J'avais peur.

Il la prit aux épaules, passionnément.

— Morgan McKenna! Sais-tu à quel point tu m'as rendu jaloux?

— C'est vrai?

— Tu m'as fait souffrir mille morts!

— Ce n'est pas exprès. J'étais bouleversée. Je n'avais rien compris.

— Je crois que je suis tombé amoureux de toi tout de suite. Mais pour rien au monde je n'aurais voulu l'admettre. J'ai lutté comme un forcené contre cette évidence.

— Nous nous sommes conduits sottement, tu ne trouves pas ?

— Pire que cela !

Il lui prit les deux mains.

— Morgan, avant toute chose, je voudrais te demander...

Pete choisit ce moment pour faire une entrée bruyante.

— Je vous cherche partout, tous les deux ! Vous voulez savoir ?

Morgan retint sa respiration.

— Je suis papa ! Le bébé est né ! C'est un garçon !

— Pete ! hurla Morgan en se précipitant pour l'embrasser. C'est fabuleux ! Est-ce que... Hallie va bien ?

— Elle a été un vrai petit soldat ! Elle a eu une délivrance naturelle. Le D Simon n'arrivait pas à le croire. Elle se porte comme un charme !

— Et le bébé ?

— Il pèse trois kilos, et il est très réussi ! J'en suis déjà gâteux. Petter McKenna Brundin ! On l'appellera Mac.

— Félicitations, mon vieux ! s'exclama Ben en lui tapant vigoureusement le dos. Quand pourrons-nous admirer ton rejeton ?

— Tout de suite, si vous vous dépêchez. Ah ! si vous saviez comme je suis heureux !

Adossée à ses oreillers, Hallie avait l'air épuisé et radieux. Elle tenait le bébé dans le creux de son bras.

— Il est si doux, et il est beau, tu ne trouves pas ? demanda-t-elle à sa sœur.

— Il est adorable, Hallie. Tu as fait du beau travail.

— Pete m'a raconté comment tu t'es aventurée dans le King's Canyon pour le retrouver, petite sœur. Merci. C'était inestimable de l'avoir près de moi. Cela m'a beaucoup aidée.

— Tant mieux. J'en suis heureuse.

— Et toi, mon cher Ben, poursuivit la jeune mère, puis-je te demander une faveur ?

— Bien sûr, madame.

Il s'avança , lui prit la main.

— Veille sur ma sœur, dit-elle.
— C'est promis, madame.
— Reconduis-la chez elle, qu'elle prenne un peu de repos. Elle a eu une rude journée.
— Oui, madame.
Un éclair de malice passa dans ses yeux.
— Voyez-vous autre chose, madame?
Bien qu'elle fût dans un état de lassitude extrême, Hallie avait parfaitement saisi le clin d'œil.
— Mon cher, je laisse le reste à ton entière appréciation.

Le ciel rosissait quand ils quittèrent l'hôpital dans la vieille Chevrolet. Le bras étendu sur le dossier, Morgan posa sa main sur la nuque de Ben.
— Je t'écoute, dit-elle.
— Pardon?
— A l'hôpital, au moment où Pete a fait irruption, tu avais quelque chose à me demander.
— C'est exact, sourit-il.
— Eh bien?
— Morgan... Je ne suis pas de la ville. Je hais l'air pollué. Je hais les encombrements, la précipitation, tout ça. J'ai besoin d'espace. Je suis l'homme des étendues sauvages; j'y suis né, j'ai l'intention d'y mourir.
— C'est ce que j'avais cru comprendre.
— Toi, tu es une dame plutôt sophistiquée, avec une brillante carrière à mener. Je sais que tu aimes les lumières de la ville, les restaurants à la mode...
— C'est vrai. D'ailleurs, j'y pense: Weinstein et O'Connor viennent de me proposer un nouveau contrat. Ils veulent que je revienne.
— Vraiment? grimaça-t-il.
— Eh! oui.
— Le dilemme est cornélien!
Le ton se voulait humoristique; on y discernait aussi un accent de préoccupation très réel.

— Car enfin, je n'ai pas du tout l'intention d'aller vivre à Los Angeles. Et je ne pourrai pas non plus supporter que nous soyons séparés la plus grande partie du temps, je t'aime trop pour cela.

— Alors, quelle solution suggères-tu?

— Tout d'abord, que tu refuses cette proposition. Que tu vives ici avec moi. J'ai une maison merveilleuse. Je gagne plus d'argent que je ne saurais en dépenser, même en cherchant bien...

— Serais-tu en train de me proposer de m'entretenir? Ai-je le profil d'une femme entretenue?

— Non! Je te propose de m'épouser, tête de bois!

— Toi, Ben?

— Oui!

D'un coup de volant, il rangea la voiture le long de la route. Le paysage magnifique qui s'étendait sous leurs yeux s'éclairait des lueurs subtiles de l'aube.

— Comment faut-il le demander pour te complaire? A genoux?

— Pourquoi pas?

Aussitôt dit, aussitôt fait. Un instant plus tard, Morgan se trouva installée sur un rocher, Ben agenouillé à ses pieds.

— Morgan McKenna, je vous en supplie, épousez-moi!

Elle le regarda. Ses beaux yeux sombres, ses fortes mains, sa tendresse bourrue... Derrière lui, le soleil était apparu. Il l'auréolait de lumière.

— Oui, dit-elle.

Et elle fondit en larmes.

Il se releva promptement, la prit dans ses bras.

— Morgan! Que de larmes à cause de moi!

Il posa doucement ses lèvres sur les paupières rougies.

— Ben, c'est vraiment sérieux?

— Mais bien sûr! Tu t'imaginais que j'allais te laisser repartir?

— Je te taquinais, chéri. Comme si j'allais accepter de reprendre ce travail qui m'ennuie! Simplement, je ne voulais pas que tu considères ma réponse comme allant de soi. Je veux bien renoncer à tous les restaurants, à tous les théâtres et autres divertissements du monde pour être avec toi. Mais tu sais, tu auras beaucoup à m'apprendre de la vie que tu mènes. Comment voir dans le noir, par exemple.

— Ce sera un plaisir. Et moi, je vais te dire quelque chose.

— J'écoute.

— Régulièrement, je t'emmènerai à Los Angeles ou à San Francisco.

— Tu ferais cela?

— Mais bien sûr. Je suis un homme libéré. J'accepte volontiers les concessions.

— Et quel sera le programme?

— Nous dînerons d'un sushi.

Elle éclata de rire.

— Nous visiterons les expositions et les musées.

— Ben!

— Et puis nous déambulerons dans Beverley Hills. J'imagine que c'est par là que tu as trouvé ce machin transparent que tu portais...

— Moi?

— Tu sais bien, avec des dentelles...

— Mon déshabillé?

— C'est ça. Il va t'en falloir une bonne douzaine de plus.

Morgan rit de plus belle.

— Et tu sais quoi? Il va me falloir aussi une nouvelle machine à écrire.

— Pour quel usage, chère amie?

— Selon Dave Buchanan, nous formons une équipe idéale, toi et moi. Nous sommes censés écrire un livre ensemble.

— Lui et son maudit bouquin... gémit-il.

— Tu fourniras le contenu, j'apporterai la forme. Nous œuvrons pour la postérité.

— Quelle postérité?

— Ma foi... celle de Pete et de Hallie, pour commencer.
— Mac Brundin... Oui, c'est possible.
— Et puis... un jour peut-être... la tienne et la mienne.
— C'est vrai. Quand veux-tu que nous commencions?
— Le livre?
Il mit sa bouche contre son oreille.
— Non, la postérité...
Elle sourit.
— Oh... un de ces jours...
— Bientôt?
— Très bientôt.
Il lui baisa la tempe puis il trouva sa bouche.
— Aujourd'hui, par exemple? Tout de suite!
— Ben...
— Venez, ma mie. Je vous ramène à la maison.